SUPER

Endre Lund Eriksen

SUPER

Uit het Noors vertaald door Gitte Möller

Van Goor

In speciale herinnering aan vertaalster Annemarie Smit

ISBN 978 90 475 1399 5
NUR 285
© 2011 Van Goor
Uitgeverij Unieboek | Het Spectrum bv, postbus 97, 3990 DB Houten

oorspronkelijke titel *Super*
oorspronkelijke uitgave © 2009 Aschehoug, Oslo

www.van-goor.nl
www.unieboekspectrum.nl

tekst Endre Lund Eriksen
vertaling Gitte Möller
omslagontwerp Anton Feddema
zetwerk binnenwerk Mat-Zet bv, Soest

I'm queen of the world
I bump into things

Ida Maria

De nieuwe ik

Dit is de nieuwe Julie:

Ik ga naar feesten en naar de Club, ik hang rond op het plein en praat met jongens. Ik lach meer en maak anderen aan het lachen. Ik ben knap en brutaal. Iedereen vindt me leuk. En ík vind mezelf leuk.

Ik ben niet meer bang, zenuwachtig en verlegen. Ik blijf niet meer thuis bij mijn ouders als de andere meiden uitgaan, bij elkaar zijn of met de jongens flirten.

No more Miss Nice Girl. No more Miss Boring. Vanaf nu ben ik de *Queen of the World.*

Dat gaat nu in. Precies nu. Precies nu ik Tuva aan de lijn heb en zeg: '...'

En: '...'

Ik gooi mijn mobiel achteloos weg. Mijn wangen gloeien van spanning en opeens ben ik weer de oude Julie.

Het meisje dat de hele avond achter de computer gedichten zit te schrijven. Gedichten!

Het meisje dat op haar bed naar luisterboeken ligt te luisteren terwijl ze chips eet en cola drinkt en steeds dikker wordt.

Het meisje dat elke vrijdagavond bij papa en mama op de bank voor de buis hangt. Dat doet alsof ze de anderen op straat niet langs hoort lopen, op weg naar de Club en het feest waar daarna iedereen naartoe gaat.

Het meisje dat in haar vrije tijd binnen naar muziek zit te luisteren. Of eigenlijk doet alsof ze naar muziek luistert, maar het volume zacht heeft staan zodat ze hoort wat de anderen zeggen. Zodat ze zich kan inbeelden dat ze er ook bij hoort.

Het meisje dat de geur opsnuift van gel en lekkere luchtjes als ze door de school loopt en zich inbeeldt dat die jongens ook naast háár lopen. Het meisje dat nooit met hen durft te praten, maar altijd aan hen denkt wanneer ze alleen is.

Snel zoek ik weer mijn mobieltje.

'Hallo?' zegt Tuva ongeduldig. 'Julie, ben je er nog?'

'Ja,' antwoord ik.

'We zijn al onderweg. Bijna op het vliegveld,' zegt ze. 'Durf je niet meer?'

Nu ga ik het zeggen. Nu begint het:

'Ik kom niet.'

Mijn stem zit helemaal vast, ik piep als een muisje. Ik moet harder praten.

'Ik ben ziek!' roep ik bijna. 'Ik kan niet mee.'

'O jee,' zegt ze, maar ze klinkt bijna opgelucht. 'Wat heb je dan?'

'Griep, heel erge, met koorts en ik moet overgeven...'

'Overgeven?'

Dat was misschien iets te veel van het goede. Geef je over als je griep hebt? Maakt niet uit, ik moet nu volhouden:

'Ik moest zo hoesten vannacht. En toen opeens... kwam alles eruit!'

'Wat naar voor je...'

Het klinkt alsof ze het allemaal meent.

'Hopelijk is het niet de Mexicaanse griep,' zegt ze en ze lacht voorzichtig.

'Zou me niets verbazen.'

'Kun je niet komen als je je weer beter voelt?'

'Dat zal nog wel even duren. Heb me nog nooit zo beroerd gevoeld...'

'Wat vreselijk voor je, precies in de belangrijkste week van het jaar!'

'Ja, erg hè.'

Als ik ophang, merk ik dat het overal kriebelt, zelfs in mijn borsten. Ik kan haast niet wachten.

Ik hoor mijn moeder in de badkamer. Haar oorbellen rinkelen. Ze trekt door en wast haar handen. De deur kraakt en ik zet me schrap:

'Tuva belde,' zeg ik. 'Haar moeder had niet goed op de vliegtickets gekeken. Het vliegtuig vertrekt pas om twee uur.'

'Om twee uur?' zegt mijn moeder verschrikt. Ze is lichtelijk in paniek.

'Maar ze komen me om halféén ophalen, dus gaan jullie maar.'

Vanaf de kamer komen de bonkende stappen van mijn vader dichterbij.

Zijn aftershave wervelt door mijn neus. Old Spice. Echt een vies luchtje.
'We kunnen ook een vlucht later nemen,' zegt mijn vader. 'Via Oslo.'
Mijn moeder zucht.
'Nee, dat kan niet. We hebben een charter.'
'Gaan jullie maar!' zeg ik. 'Ik red me wel.'
'Je kunt wel met ons meerijden,' zegt mijn moeder. 'Dan wacht je gewoon op het vliegveld op Tuva.'
'Ik blijf hier. Ze zouden me toch komen ophalen.'
'Ja, dat moet toch wel kunnen?' vraagt mijn vader voorzichtig.
Mijn moeder zucht.
'Maar kom niet aan de oven! We willen niet dat de hele flat afbrandt als we weg zijn.'
'Mama!' schreeuw ik haast. 'Dat was per ongeluk!'
'Dat weet ik, mijn kind,' zegt mijn moeder weer wat milder. 'Sorry. Maar je hebt hem toch niet nodig nu we allemaal weggaan.'
Ze moest eens weten.

Natuurlijk is het weer stressen. Mijn moeder kan de paspoorten niet vinden en mijn vader stoot met zijn gigakoffer tegen de ladekast, waardoor de vaas in duizend stukken op de grond valt. Mijn moeder noemt mijn vader een idioot, waarna mijn vader zegt: 'Kom, kom!'
Het is altijd hetzelfde liedje bij de familie Berg Hansen.
'Ik hoop dat het een romantische vakantie wordt,' mompel ik en ik loop de kamer in.
Het lukt me niet stil te zitten, ik voel me ongelooflijk onrustig. Ik probeer wat akkoorden op de gitaar, mompel: '*I like you so much better when you're naked.*' Maar mijn vingers willen vandaag niet, het klinkt voor geen meter.
Mijn moeder en vader lopen als kippen zonder kop te snauwen en te zuchten. Je zou niet denken dat ze getrouwd zijn – zoals zij met elkaar praten. Eindelijk herinnert mijn moeder zich dat ze de paspoorten in het buitenvakje van haar koffer heeft gestopt. De voordeur gaat open en ze verdwijnen de hal in, waar hun voetstappen en stemmen gedempt en hol klinken. Het is bijna stil, maar plots wordt de deur weer opengetrokken. Ik hoor de gestreste ademhaling van mijn moeder weer. Ze komt mijn kamer binnen. Mijn vader volgt haar op de voet.

'We vergaten bijna afscheid te nemen!'

Mijn moeder geeft me een knuffel die meer weg heeft van een wurgpoging. Mijn vader schuurt zijn stoppeltjes tegen me aan.

'We bellen je elke dag!' zegt hij.

'In elk geval om de dag,' roept mijn moeder uit de gang. 'Bellen uit het buitenland is nogal duur.'

Eindelijk slaat de voordeur dicht.

Ik hoor ze de trap af gaan. De buitendeur die dichtklapt. De autodeuren die open- en dichtgaan. De motor die start en het geluid dat brommend wegebt.

Dan wordt het stil. Doodstil.

Ik krijg opeens zin om in bad te gaan. Met de deur open en de muziek in de woonkamer aan.

Maar eerst moet ik een lijst opstellen van wat ik allemaal ga doen. Een week is wel erg kort om van die vervelende blindheid af te komen.

Ready for take-off

Ik zet het raam wijd open. De warme lucht zit vol vogelgekwetter, kinderen die lachen en auto's die op straat voorbijrazen. Op het toetsenbord tik ik snel in:

1. Elke dag zwemmen
2. Een tattoo nemen
3. Autorijden
4. Naar de Club
5. Nieuwe mensen leren kennen
6. Dronken worden
7. Zoenen, desnoods met een meisje
8. Op de brug balanceren
9. Eten waar ik zin in heb
10. Verkering

Die verkering haal ik weer weg. Wat dat betreft is het misschien slimmer een langetermijnstrategie te bedenken. De kans dat ik binnen een week verliefd op iemand word die ik ook nog eens in mijn type kan veranderen, is bijna nihil. Als ik maar iemand kan vinden die ik kan overhalen om met me te zoenen.

Dat is al moeilijk genoeg. Het enige wat in de buurt komt, was toen ik vorig jaar tegen een jongen aanliep op de gang op school. En dat was niet echt bijzonder.

Maar er wonen hier honderden jongens. Mijn vader zegt dat de meesten weinig zelfvertrouwen hebben omdat ze klein en mager zijn en nog geen baard in de keel hebben. Maar eentje moet ik toch wel kunnen overhalen om met me te zoenen.

Zeker als ik hem mijn borsten laat aanraken.

Met mijn kleren aan dan.

Als hij het alleen zonder kleren wil, moet hij zich ook eerst maar uitkleden of zo.

Ik moet mezelf even hard in mijn arm knijpen. Dat was de oude Julie. Die heeft geen recht van spreken meer. Ik ben nu de Queen of the World. Natuurlijk vind ik een superknappe jongen met een leuke persoonlijkheid en een mooi lichaam. Die niet te veel luchtjes op heeft en zoent als een filmster. Zodra ik hem heb gevonden, is-ie van mij. Hij moet eerst dronken worden, en dan doet hij precies wat ik wil.

Ik vergeet zowat de kampleiding te bellen om me ziek te melden.

Opeens raak ik in paniek. Het wordt vast een geweldig kamp. De anderen hebben sindsdien een persoonlijkheidsverandering ondergaan. Opeens zijn ze grappig en knap. Ze zijn gestopt met hun flauwe grappen en kinderachtige spelletjes. En een van hen, ik weet niet wie, Tonje misschien, is ineens leuk en interessant geworden, en als ik meega op kamp worden we hartsvriendinnen en gaat zij mijn leven voor altijd op z'n kop zetten.

En er is een nieuwe jongen. Een buitenlander of zo. Een heel leuke jongen. Iemand die niet naar zweet ruikt en geen slechte adem heeft, en niet zo dik is dat het aan zijn stem te horen is. Iemand die grappig en cool is, en die minimaal één vriendinnetje heeft gehad. Die niet blind is. Niet eens slechtziend.

Ik droom dat ik gitaar voor hem speel en dat we met z'n tweeën zijn, en dat hij zo dicht naast me zit dat ik zijn adem ruik.

Nu moet ik echt even normaal doen. Word eens wakker, Julie! Denk eens terug aan het kamp van vorig jaar. Denk terug aan de avond dat Tuva de kamer in kwam, de deur voorzichtig achter zich sloot. Ze had een bevende ademhaling omdat ze zo zenuwachtig was. Nee, het kwam doordat ze enthousiast was!

'De anderen hebben me gevraagd met je te praten. Omdat ik je het best ken. We willen het je op een nette manier vertellen.'

'Een nette manier?'

'Je bent altijd zo negatief en moppert altijd zo. En we vinden het niet leuk dat je ons in de zeik neemt met die vreemde mimiek van je.'

'Dat is voor de grap, Tuva, dat snap je toch wel?'

'En dat luchtje van je is veel te zwaar, er hangt een hele walm om je heen.

Als je vrienden wilt hebben, kun je niet op je kamer blijven liggen mokken met die emo-muziek van je. We doen het voor je eigen bestwil. Je moet echt veranderen.'

Ik pak mijn mobiel uit mijn zak en voel aan de knoppen. De stem zegt *Laila* en *Lasse* met een gekke Zweedse tongval. Ik heb Björn Borg op mijn mobiel. Bij *Leiding kamp* druk ik op de beltoets.

Aan de stem hoor ik dat het Trine Lise is die de telefoon opneemt, maar ik neem me nu voor haar 'het mens' te noemen. Dat past beter bij mijn nieuwe imago. Ik zeg het niet hardop, maar ik denk het wel, diep in mijn hart.

Het mens zegt dat ze het jammer vindt. Ze had zich er zo op verheugd mij weer te zien. Ze wenst me veel beterschap.

'Kan ik misschien je moeder even spreken?' vraagt ze.

Ik verstijf en het is alsof mijn oor in brand staat. Shit. Ik had een mailtje moeten sturen. Van het account van mijn moeder. Dat heb ik aangemaakt en ik betwijfel of ze het wachtwoord *julie2000* sindsdien heeft veranderd. Ik houd mijn mobiel zo hard vast dat ik het plastic hoor kraken. Mijn mond wordt droog. Het mens dringt aan: 'Als ze thuis is?'

Maar dan word ik losser: ik moet gewoon iets zeggen.

'Dat gaat niet,' zegt Julie, de Queen of the World.

'Ze is niet thuis.'

'O.'

'Ze is medicijnen voor me halen.'

'Ik bel haar anders later wel.'

'Niet naar haar mobiel, want die is ze kwijt.'

'Oké, maar kun je haar niet vragen of ze jouw mobiel leent? Als ze tijd heeft.'

'Hmm. Ik moet nu echt ophangen, want ik moet bijna overgeven…'

Ik schraap mijn keel en hoest, en het mens roept iets wat klinkt als beterschap. Maar ik heb me nog nooit zo goed gevoeld. Ik voel me sterk, brutaal en fantastisch.

Ik bewaar de lijst en laat de computer alle punten oplezen. Terwijl Trygve, een opgewekte mannenstem, de reeks duidelijk opsomt, begin ik in mijn kast geschikte kleren uit te zoeken. Ik trek de broek aan die zo strak zit dat ik mijn adem moet inhouden om 'm dicht te krijgen. Ik zoek net zo lang tot ik het topje heb gevonden waarvan mijn moeder denkt dat ik 't allang niet meer heb. De stof sluit nauw aan. Volgens mijn moeder accentueert het shirt m'n borsten. En helaas ook mijn buik. Die blubbert er aan de onderkant uit, waardoor het rond mijn navel wat fris wordt. Daar moet ik maar mee leven.

Ik ben al nat onder mijn oksels, droog me af met het oude shirt en doe nog een keer wat deo op. En wat Jean Paul eroverheen. Dat zou voldoende moeten zijn. Voorlopig in ieder geval.

Op de gang doe ik mijn gympen aan en pak ik mijn jas. Ik haal de zonnebril uit mijn binnenzak en zet hem op. Doe mijn haar los en schud met mijn hoofd zodat het leuker valt. Dan haal ik de taststok van de haak, vouw hem uit en kan het niet laten om er even mee als een zwaard door de lucht te slaan.

Op de deurmat hoor ik papier kraken. Reclamefolders. Ik buk, veeg het bij elkaar en prop het in mijn zak. Automatisch loop ik met mijn stok voor me uit naar de deur van Hans Gjermund Kristoffersen. Maar wanneer de stok iets raakt wat waarschijnlijk de deurmat is, stop ik.

Vroeger zou ik de reclame bij Hans Gjermund Kristoffersen weg hebben gehaald, zou de lieve Julie de buurman helpen voorkomen dat de folders zich ophopen als die voor zijn superbelangrijke journalistenwerk in Berlijn zit. Maar ik moet leren beter voor mezelf op te komen. Ik ben nu tenslotte vijftien. Hans Gjermund Kristoffersen kan zijn eigen rommel wel opruimen.

Ik draai me om en loop richting de trap. De stok laat ik achter me aan slingeren, ik ken de weg wel. Nonchalant pak ik de trapleuning vast en loop naar beneden. Nu ben ik klaar om de wereld met andere ogen te zien.

De wereld

Ik geef de taxichauffeur mijn vervoerskaart en de uitdraai van het adres dat ik op internet vond. De auto begint te rijden.

Na een poosje schraapt hij zijn keel.

'Ben je totaal blind?' vraagt hij. Zijn stem is ruw en grof, hij klinkt oud, ouder dan mijn vader.

'Staar niet naar me!' zeg ik.

Hij slikt. Trommelt met zijn vingers tegen het stuur of zoiets.

Dan is het een poos stil. Totdat hij heel diep inademt.

'Zie jij schaduwen en zo?'

Arme man. Hij doet echt zijn best om aardig te klinken.

'Ik zie wat ik wil zien, en hou nu maar op met naar me te staren!'

'Ik staar niet!' zegt hij wanhopig.

'Waag het niet!'

Tot zover doe ik het goed. Ik moet mijn tanden op elkaar klemmen om niet te gaan lachen. Gelukkig zet hij de radio harder.

Als de auto tot stilstand komt, zet hij het geluid zachter en schraapt zijn keel.

'Nu moet ik me omdraaien om je je vervoerskaart terug te geven, maar ik zal niet naar je kijken.'

Ik barst in lachen uit.

'Loop met me mee naar de deur, dan mag je naar me kijken. Maar niet langer dan één seconde!'

Er rinkelt een belletje boven de deur als ik naar binnen loop.

Met de stok naar voren loop ik de winkel in, waar ik geschuifel hoor. Er komt dus iemand aan om me te helpen.

'Ik wil graag een tattoo.'

Er wordt zachtjes gelachen, ik hoor oorbellen rinkelen.

'Dan zit je hier verkeerd,' zegt een krakende oudevrouwenstem. 'Dit is een wolwinkel. Die tattoozaak ligt aan de overkant van de straat.'

Die klootzak van een taxichauffeur!

Er gaat iemand voor me opzij.

'Zal ik even meegaan?' vraagt een lichte vrouwenstem.

Maar ik keer me om, loop tegen de deur aan, trek hem open en loop naar buiten.

Ik vind de stoeprand met de stok en stap van de stoep af. Ik hoor een stuk verderop autogeluiden. Voorzichtig steek ik over. Ik loop in een rechte lijn terwijl ik de stok overdreven heen en weer zwaai zodat alle auto's me kunnen zien. Opeens remt er een auto. Mijn hart bonst. Ze moeten er maar aan wennen. De nieuwe Julie loopt door, waar ze ook tegenaan stoot.

Op de stoep raak ik iets wat beweegt, iemand schrikt.

'Kijk toch uit!' zeg ik.

'Sorry!' zegt een verschrikte mannenstem.

De stok raakt een rand en ik draai me om naar de man, maar hij loopt alweer verder.

'Is dit Polar Tattoo?' roep ik.

'Ja,' zegt hij. 'Zal ik... met je meegaan?'

'Nee hoor!'

Ik laat de deur achter me dichtvallen. Er komt een borend geluid van achter in de ruimte.

'Kom er zo aan!' zegt een zure vrouwenstem.

Het geboor stopt en er komen voetstappen op me af. Ik draai me om naar het geluid en zeg dat ik een tattoo in de vorm van een vrouwenoog boven aan mijn rug wil.

'Maar wel een mooie,' leg ik uit. 'Met lange wimpers.'

'Hoe oud ben je, als ik vragen mag?'

Ze klinkt chagrijnig. Nors.

'Zestien.'

Ze snuift.

'Zo zie je er niet uit. Je moet achttien zijn, geen dag jonger!'

'Dan ga ik toch naar een ander.'

'We zijn de enige hier.'

Ze zegt het vol leedvermaak. Ik begin boos te worden.

'Dat is... discriminatie! Ik ga naar de krant!'

Ze lacht me nu uit.

'Ik zie het al voor me: "Minderjarig blind meisje krijgt tattoo, ouders woest."'

'Niemand hoeft het toch te weten?'

'Er zijn regels waar we ons aan moeten houden.'

'Shit…'

Ik probeer iets vervelends te bedenken, iets naars, maar mijn hoofd piekert zich suf. Het enige wat er uit me komt is een zielig gesnuif.

Ik keer me om en loop weg. Bots tegen iets aan, een rek, denk ik. Vlak voor me rinkelt en rammelt er van alles, ik voel dat het rek in zijn val lucht meezuigt en vervolgens op de grond klettert.

De vrouw zucht hardop.

Stampend loopt ze langs me heen. Ik ruik haar zweetlucht, zo dichtbij is ze. De lucht voor me wordt weer open, ze zit gebukt. Aan het rek rinkelt iets, het zijn vast piercings.

'En een piercing dan?' flap ik eruit. 'Een kleintje.'

'Ik loop met je mee naar de deur!' zegt ze en ze pakt mijn arm vast. Ik probeer me los te trekken, maar ze heeft me goed vast en trekt me achter zich aan. Mijn wangen gloeien.

Ik ben nog maar net op straat als me weer iets overkomt.

'Julie!' schreeuwt een verdacht bekende meisjesstem achter me. Ik doe alsof ik niets hoor. Ga sneller lopen terwijl ik met de stok voor me uit zwaai.

Maar natuurlijk haalt ze me in. Je moet op z'n minst invalide zijn om een blinde niet bij te kunnen houden.

'Hoi Julie, ik ben het, Silje!'

Ze pakt mijn arm beet vlak boven mijn elleboog, nogal hard voor een begeleider. Maar er klopt iets niet: ik zou háár moeten vasthouden.

Ze houdt me tegen, ik moet mijn tempo aan haar slakkengang aanpassen.

'Ik dacht dat je op kamp was,' zegt ze.

'Dat ging niet door,' mompel ik, en ik heb meteen spijt. Ik had kunnen zeggen dat het vanavond was. Nu loop ik het risico dat ze me elke dag komt opzoeken.

'Hoezo?'

'Geen zin.'

Silje lacht onzeker.

'Geen zin?'

Ik besluit niet te antwoorden. Zwijgen is goud, spreken is fout. Ik sla hard met de stok op de stoep. Om me heen geroezemoes en voorbij sjokkende mensen.

En Silje doet alsof er helemaal niets aan de hand is.

'Heb je net les gehad, of zo?' vraagt ze.

'Ziet het eruit alsof ik mijn gitaar bij me heb dan?'

Ik word kwaad, bijna woedend. Siljes ademhaling hapert, ze laat mijn arm los. Het doet me wel wat. Ze meent het goed. Wil gewoon aardig zijn. Ik zou aardig terug kunnen doen. Haar vragen of ze een kop thee bij me komt drinken, een beetje bijkletsen. Desnoods over Jezus.

Ik zet een andere stem op.

'Waar ben jij geweest?'

'In het bijbelcentrum, bij het café. We hebben met een paar van het koor zitten praten. Ga je naar huis?'

Ik word een beetje kriegel. Ik weet precies waar ze op uit is.

'Misschien...'

'Ik kan je wel naar de taxi brengen.'

'En met me meerijden?'

'Ja graag, gezellig! We moeten toch dezelfde kant op, en jij krijgt het vergoed, dus...'

In de taxi kletst Silje aan één stuk door. Over Magnus van het koor met zijn engelenkrulletjes, en Tor-Martin die zo goed gitaar speelt dat hij een cd zou moeten maken.

Ik zeg *aha* en *hmm* en voel dat mijn slapen zich aanspannen. Ik denk aan de vrijdag dat ik haar belde om te vragen of ze zin had een dvd te huren, gewoon een gezellige avond met wat lekkers erbij. Maar zij kon niet, haar ouders wilden dat ze met z'n allen taco's gingen eten en daarna tv kijken. Die avond liep ik toevallig door haar straat en bedacht me dat ze nu met haar vader en moeder en haar zussen *Beat for Beat* zat te kijken. Maar opeens ging hun deur open. Er klonk een hard gelach, ik hoorde een gitaar en lallende jongens. En Silje die kakelde:

'Hé, ben jij het? Wat leuk dat jij er ook bent!'

Degene die had aangebeld, met wie ze stond te praten, begon opeens te fluisteren. Silje zweeg direct. Voorzichtige voetstappen op de trap. Toen de deur weer dicht was, barstten ze binnen op het feest in lachen uit. En ik stond daar maar op straat met die stomme stok in mijn hand. Als een oud mens.

Silje dringt aan om mee naar boven te gaan.

'Ik ken de weg wel,' zeg ik en ik moet echt uitkijken dat mijn stem niet anders klinkt.

'Dat is mijn goede daad voor vandaag,' zegt Silje.

Onderweg naar boven bedenk ik hoe ik van haar af kan komen. Voor de voordeur keer ik me naar haar om. Maar ze is me te snel af:

'Ik loop wel mee naar binnen voor een kopje thee!'

Nu doe ik het. Ik móét het gewoon doen.

'Je kunt niet mee naar binnen.'

'Waarom niet?'

'Ik krijg een jongen op bezoek.'

'Een jongen?' Ze giechelt. 'Wat leuk! Mag ik hem zien? *Please!*'

'Nee, we gaan vrijen.'

'Echt?' zegt ze geschrokken.

'Ja, vaak wel. Het is best lekker. Zou je ook eens moeten proberen.'

'Mijn god… Wat nou als je zwanger raakt?'

Daar moet ik eventjes over nadenken.

Heel eventjes maar.

'Je wordt niet zwanger als je de pil slikt.'

'Mijn god!' Silje giechelt weer.

Ik draai me weer om, zoek het sleutelgat en doe de deur van het slot.

'Jemig, wat is er met jou gebeurd, Julie?' vraagt Silje. 'Zo ken ik je niet.'

'Nee,' zeg ik en ik ga naar binnen. 'Gelukkig maar!'

Het feest kan beginnen

Ik klim op het krukje en houd me vast aan de boekenplank terwijl ik die aftast naar de plek waar de wijnflessen liggen. Ze rammelen, het zijn er zoveel dat ze in een dubbele rij op elkaar liggen in het rek. Mijn ouders zullen niet merken dat er eentje weg is. Of twee.

Ik heb dit al eens geoefend. Gezegd dat ik best een fles wijn voor hen kon pakken, gevraagd of ze rode of witte wilden. 'Voorzichtig!' maande mijn moeder me. En mijn vader: 'Kom op, dat gaat best...'

De flessen witte wijn zijn hoog en smal, de rode zijn dikker vanonder. Op de tast zoek ik naar een fles die slank en hoog aanvoelt. De meiden uit de klas zeggen dat witte wijn minder vies smaakt dan rode.

In de keuken haal ik een lang smal wijnglas. Ik zoek de kurkentrekker in de bestekbak. Ik realiseer me dat de stok aan de haak bij de deur hangt. Die moet ik hebben. Als ik dronken word, zal de wereld wel een beetje wiebelen.

Ik leg de stok opgevouwen naast me op de bank en zet de fles op tafel. Mijn vader heeft me verteld hoe het werkt. Eerst de kurkentrekker in de kurk schroeven tot de spiraal er precies in zit. En dan trekken. Met beleid wrikken, maar wel met kracht, zoals hij dat noemt. Het laatste stuk nam mijn vader het altijd over. Ik hoorde alleen maar: plop, en daarna: zo, die is open.

Ik plaats de fles tussen mijn dijen. Er zit plastic over de kurk heen. Gewoon even met de kurkentrekker een snee maken en dan eraf trekken, mijn vader heeft het me al eens voorgedaan. Ik schroef de kurkentrekker er diep genoeg in en begin te trekken. Er is geen beweging in te krijgen. Ik weet niet wat mijn vader bedoelt met *met beleid*, maar ik probeer de kurk een beetje los te wrikken, voorzichtig. Ik houd de kurkentrekker zo stevig vast als ik kan, en trek. Er gebeurt niets. Ik pak hem stevig beet, wrik wat.

Ik duw hem heen en weer... en dan begint de kurk los te komen. Ik knijp mijn dijen om de fles, tel tot drie en trek zo hard als ik kan. Hij schiet los, mijn armen vliegen omhoog en mijn elleboog ploft neer in het kussen achter me. Ik houd het glas vast en schenk mezelf in. Maar de fles klokt niet. Heb ik eigenlijk wel een plop gehoord?

Ik tast de flessenhals af. Het onderste stuk van de kurk zit er nog in en er is maar een klein beetje wijn doorheen gesijpeld.

Kurk in je wijn is niet lekker, dat weet iedereen. Maar ik heb geen keuze. Met de kurkentrekker duw ik de kurk in de fles. Hij zit vast. Ik moet de fles op tafel zetten en met beide handen duwen. De kurk komt los en de fles glijdt uit mijn handen. Ik pak de fles terwijl er wijn tussen mijn vingers sijpelt. Een vieze geur komt me tegemoet: rode wijn.

Oké, rustig aan. Relax.

Dan maar rode wijn. Rode wijn kun je ook drinken. Ook daar word je dronken van.

Wat heb ik weer lekker zitten knoeien. Maar zo gaat dat nou eenmaal op feestjes, waar gehakt wordt, vallen spaanders.

Ik schenk het glas vol en voel dat het van de tafel op mijn broek druppelt. Ik leun voorover en slurp van de tafel. Het smaakt naar sap dat over de datum is. Zuur en een beetje bedorven. Maar daar wen ik vast wel aan.

Ik neem een slok uit het glas. Het blijft vies, mijn tong voelt dik en ongevoelig aan. Maar ik kan ertegen. Want nu ben ik op een feest. Het is hartstikke druk om me heen en erg gezellig. We hebben het over van alles en nog wat, over goede muziek en over de radio, over boeken en goede films.

O, nee, dat was de oude Julie! Nu ben ik de Queen of the World. Ik geef niets om boeken en heb net dat bijbeltrutje de deur gewezen. Er is geen reden om met een drukkend gevoel op m'n borst rond te blijven lopen, alleen omdat Silje zo schrok. Weg met dat geweten! Er is een reden om te feesten. Eindelijk ben ik van haar af. Proost!

Het mag nog wel wat gezelliger, ik heb muziek nodig. Ik zoek naar de afstandbediening in de zakken aan de leuning van de bank. Ik vind die van de dvd-speler en de tv, maar niet die van de stereo. Dan maar de tv. Ik zap door naar MTV. Gelukkig is er rock. Gewoon het ritme volgen, je laten meeslepen, doenk, doenk.

Ik neem nog een slok wijn. En nog een. Zeg tegen mezelf: dit is echt te gek.

Het voelt alsof de wijn in mijn buik borrelt. De alcohol is waarschijnlijk bezig me dronken te maken. Voel ik mijn wangen niet al gloeien? Voel ik mijn lichaam niet heerlijk warm worden?

Ja, ik voel me wel wat anders. Suf en trots en goed.

Ik drink nog wat en probeer de zure smaak te vergeten. Het komt hier allemaal goed op gang, er zijn al mensen aan het dansen. Ze springen op en neer en de boekenplank dreunt mee, waardoor de flessen tegen elkaar aan rammelen. Ze lachen hard en zingen mee met de muziek. Opeens pakt iemand mijn hand vast en trekt me mee de dansvloer op. De stok heb ik niet nodig, want hij pakt ook mijn andere hand, trekt me mee achter zich aan en houdt mijn beide handen vast. En nu gebeurt er iets, ik wiebel, neurie en gloei, het is de wijn, het werkt! Ik wil meer, trek hem mee naar de tafel en zoek de fles, kan net zo goed direct uit de fles drinken. Mijn keel wordt dichtgeknepen, wil het niet, maar ik trek me er niets van aan, het zijn de laatste stuiptrekkingen van de oude Julie, straks ben ik dronken en is zij weg.

Nu trek ik hem mee achter mij aan, de vloer op. We dansen wild en hard en duwen iemand opzij, maar dat maakt niet uit, iedereen doet dat. De anderen stappen naar achteren, duwen mij naar het midden, *come on, Julie*, zeggen ze, *dansen*! Ik heb het in me, ik wieg en wiebel, stamp en spring, en iedereen om me heen staat te klappen, ik dans en tol heen en weer, en opeens knal ik met mijn hoofd tegen de plank.

Au, verdomme!

Het voelt als een mokerslag, de pijn splijt mijn voorhoofd en de wereld om me heen valt uit elkaar. Al het leuke verdwijnt: de mensen, het feest, de jongen. Ik zit hier helemaal alleen, samen met de muziek van MTV die vrolijk doorgaat.

Mijn kop doet zeer.

'Verdomme!' zeg ik hardop. Maar het haalt niets uit, mijn wangen blijven prikken en branden, de pijn in mijn hoofd is niet te harden.

Jezus, wat beeld ik me toch in? Als een gek rondspringen in de kamer. Doen alsof ik bezoek heb, doen alsóf! Hoe wanhopig kun je zijn?

Ik vind de tv, maar die stomme knop zit verdorie niet op zijn plek, ik zoek me een slag in de rondte voordat ik het apparaat eindelijk uit krijg.

Het wordt ineens stil in de kamer, ik hoor alleen het gebrom van de koelkast en de krakende voetstappen van iemand in de flat boven.

Ik plof neer op de stoel van mijn vader. Die ruikt naar Old Spice. En mijn vaders haar. Mijn keel zwelt op. Wat een vies luchtje. Opeens zit Silje in mijn hoofd. Jemig, Julie! Ze zal nooit meer met me willen praten. Ze zal doen alsof ze me niet ziet. Slim, Julie, erg slim! Eindelijk ben je de enige vriendin die je had kwijt. Gefeliciteerd!

Het voelt alsof er iets gaat barsten. Maar ik concentreer me, houd de armleuning vast, vul mijn longen met lucht. Die actie met Silje was goed. Heel goed. Zij wilde gewoon een gratis lift en een wit voetje halen bij Jezus.

Ik blijf rustig, ik heb alles onder controle, en nu moet ik gewoon niet aan het kamp denken. Nee, Julie, niet aan het kamp denken. Hoor je me? Niet doen!

Het is avond geworden en ze gaan nu bij elkaar op bezoek. Aankloppen, vragen wie op die kamer slaapt. Op het bed zitten, praten, naar leuke jongensstemmen luisteren. *Doen, durven of de waarheid* spelen, voor de lol natuurlijk… Vragen wat de anderen op hun mp3-speler hebben. Op elkaars schoot zitten, elkaar vasthouden, vragen of je het ene oortje mag terwijl hij het andere in heeft, ze zitten knus bij elkaar.

In bad! denk ik en ik sta zo snel op dat ik duizelig word. Een bad helpt altijd!

Het water is zo heet dat mijn huid prikt. Het schuim knettert helemaal. Ik kan me niet concentreren, het water brandt, ik kan geen prettige houding vinden. Probeer met mijn hoofd op de rand van het bad te gaan liggen, maar zelfs met een handdoek onder mijn nek kan ik er niet van genieten. Het tocht onder de deur door. Opeens voelt het alsof er iemand op de gang naar me staat te kijken.

Het heeft geen zin de deur op slot te draaien. Ik kan me niet ontspannen, het lukt niet. Ik probeer het met een paar slokken uit de fles, maar de wijn gonst gewoon verder in mijn hoofd. Mijn ogen jeuken van vermoeidheid. Ik wil gewoon slapen. Doezelen. Zinken.

Ik word met een schok wakker. Ik hoor een jongen zingen, ver weg, dat heeft me wakker gemaakt.

Het water is ijskoud, maar er gaat een warme stroom door me heen: de stem die zong. Maar nu is het weer stil. Verbeeldde ik het me? Iets in mijn droom?

Mijn nek voelt stijf, mijn hoofd heeft tegen de rand van het bad aan gelegen.

Hé, daar is-ie weer:

'I like you so much better when you're naked.'

De stem is donker, maar slaat zo nu en dan over, hij wordt lichter bij de hoogste tonen.

'I like you so much better when you're naked.'

Hij is van ongeveer mijn leeftijd, misschien iets ouder, misschien iets jonger.

Rustig schuif ik omhoog, er ontstaan wrijfgeluiden in de badkuip.

Hij neuriet nu *na na na*. Het komt door de muur heen, of door het ventilatierooster. Uit de badkamer van Hans Gjermund Kristoffersen.

Ik heb Hans Gjermund Kristoffersen al eens horen zingen in de badkamer, maar dit klinkt toch heel anders.

Hij zingt weer. En ik weet niet wat ik heb, opeens zing ik mee:

'I like you so much better when you're naked.'

Plotseling is het stil. Doodstil. Het enige wat ik hoor is het lichte geklots van het water dat nog niet tot rust is gekomen. En mijn adem. Maar ik houd hem in, probeer te horen wat er aan de andere kant gebeurt. Alleen is het daar nu stil, helemaal stil.

'Hallo?' zeg ik met de stem van de nieuwe Julie, die vrolijke en aardige, die rechtdoor blijft lopen, waar ze ook tegenaan botst. 'Wie ben jij?'

Hij antwoordt niet.

'Ik weet dat je er bent,' zeg ik met een stem zacht als softijs. De oude Julie zou over d'r nek gaan.

Het is lang stil. Doodstil.

Maar dan zegt hij iets. Iets waar ik koude rillingen van over mijn rug krijg.

In bad

'Hallo?' zegt hij.

Dat is misschien niet zo bijzonder, eigenlijk best gewoon. Maar ik heb nog nooit zonder kleren aan met een jongen gepraat. Ik krijg kippenvel.

'Hoi,' zeg ik. 'Wat heb je een goede smaak...'

Hij antwoordt niet. Ik wacht even, maar het blijft stil.

'Hoe heet je?' vraag ik en ik houd mijn adem in. Mijn hart bonst in mijn oren.

'Jo...'

Hij schrapt zijn keel en verheft zijn stem:

'Jomar.'

'Jomar?' vraag ik. 'Heet je echt zo?'

Hij zwijgt. Hij antwoordt niet. Als hij maar niet beledigd is.

'Aparte naam,' haast ik me te zeggen. 'Je klinkt niet als een Jomar...'

'Hoe klink ik dan wel?'

Hij fluistert bijna, zijn stem is aangenaam en speels, hij is niet boos.

'Als een coole, knappe jongen,' zeg ik en ik heb meteen spijt. 'Cool' en 'knap' klinkt altijd raar als ik het uitspreek.

'Hou je van Ida Maria?' vraagt hij en zijn stem slaat over, ik houd van dat breekbare, broze geluid.

'Ja,' zeg ik. 'Ze is... rauw.'

Dat klinkt eigenlijk best goed. Rauw.

'Waarom slaap je niet?' vraagt hij.

Waarom vraagt hij dat? *Slaap je niet?*

Het zal wel nacht zijn. Ik heb vast lang geslapen.

'Ik werd wakker van jouw gezang,' zeg ik.

'Sorry!'

'Ik moest er toch uit.'

'Nú? Waarom dan? Kun je niet slapen of zo? Net als ik?'

Ik lach.

'Zoiets.'

Weer stil.

Mijn haren zitten vastgeplakt in mijn nek, het voelt als nat zeegras, er gaan koude rillingen door me heen.

Hij is aan de beurt, hij moet nu iets zeggen, dan ga ik er wel op in.

Maar hij zwijgt.

En als hij nou weggaat?

'En verder?' vraag ik.

Mijn wangen sprankelen en gloeien. Was dát alles wat ik kon bedenken?

Hij lacht.

'Verder?'

'Ja, hoe gaat het?'

Mijn god, hoe gaat het?

Hij schraapt zijn keel, praat luid en op overdreven formele toon:

'Momenteel kan ik die vraag niet beantwoorden.'

Ik moet lachen.

'Gaat het niet goed?'

'Op dit moment gaat het best oké.'

Omdat je met mij praat?

Ik durf het hem niet te vragen.

Zit hij met zijn oor tegen de muur? Of staat hij naar het ventilatierooster te kijken?

Ik leg mijn oor tegen de muur, de tegels zijn koud en glad. Een koude windvlaag strijkt langs mijn schouders, ik begin te klappertanden.

Als hij met me wil praten, moet hij als eerste iets zeggen. Mij iets vragen. Hoe oud ik ben. Van welke muziek ik houd. Wat ik het leukst vind.

Maar hij zwijgt.

Ik houd het niet meer vol.

'Ben je daar nog?'

'Ja.'

'Wat...'

Ik moet gewoon iets zeggen:

'Wat is jouw lievelingsfilm?'

'Lievelingsfilm?'

'Of een film die je heel erg goed vindt'

'Eh... Ik weet niet... Ja... Er is er wel eentje. Het is misschien niet de beste film, maar hij is wel goed. Ik weet niet meer hoe die heet, maar het gaat over een paar jeugdbendes, in Los Angeles of zo. Ken je die?'

'Ik weet niet, vertel eens iets meer.'

'Die jongen over wie het gaat, moet bij zijn vader gaan wonen, want zijn moeder is bang dat hij in de criminaliteit terechtkomt als hij bij haar blijft wonen. Hij wil eigenlijk niet, want zijn vader is behoorlijk streng. De jongen moet van zijn vader huiswerk maken en heel erg zijn best doen op school, zodat hij echt iets kan bereiken later. De vader wil niet dat hij het dievenpad opgaat en bij de *bad guys* rondhangt. De jongen gaat de moeilijkheden uit de weg en maakt zijn huiswerk, maar op een dag is er een gevecht tussen zijn vrienden en een andere bende en wordt zijn beste vriend doodgeschoten.'

'Oei.'

'Zijn vrienden zinnen op wraak en willen dat hij meegaat. Maar hij weet dat hij dan zijn toekomst op het spel zet, alles waar hij tot nu toe zo hard voor heeft gewerkt. De vader weet dat hij twijfelt en probeert hem tegen te houden, maar hij gaat met de bende mee. Ze rijden rond in de straten, op zoek naar iemand van de andere bende, iemand die ze kunnen pakken. Op het laatste moment bedenkt hij zich en vraagt de anderen om hem af te zetten. Als hij thuiskomt, staart zijn vader hem met een koele blik aan, keert zich om, loopt naar zijn kamer en doet de deur dicht.'

'Triest zeg...'

'Heb je die gezien?'

'Nee, maar wat je zegt... Daar hou ik wel van. Het klinkt als een goede film.'

'Ja, hij is goed...'

Mijn tanden klapperen, er gaan koude rillingen door me heen. Ik ga staan en tast het bankje af naar de handdoek, het water sijpelt van me af, druppelt in het water.

'Zit je in bad?' vraagt hij verbaasd.

Ik droog me snel af, wrijf over mijn rug en haren.

'Niet meer.'

'Sta je in je blootje?'

Zijn stem klinkt ondeugend en plagend.

'Momenteel kan ik die vraag niet beantwoorden.'
Hij lacht, gelukkig lacht hij.
'Zie je er leuk uit?' vraagt hij.
'Er is maar één manier om daar achter te komen.'
'En dat is?'
Ik aarzel een beetje. Misschien verknal ik het nu wel.
Hoezo dat dan?
We hebben alleen wat gekletst. Door een muur.
Ik zeg:
'Ik zie je over vijf minuten op het balkon.'
Ik houd mijn adem in. Luister.
Hij fluistert haast:
'Kom je dan in je blootje?'
'Als jij ook in je blootje komt.'

Het balkon

Het duurt veel langer dan vijf minuten. Als hij maar niet weg is gegaan! Ik morrel aan het slot van de balkondeur, ik vergeet haast de stok weg te leggen. Ik duw de deur open, de zwoele nachtlucht streelt mijn benen. Ik check even of mijn zonnebril stevig op mijn neus staat en mijn ogen goed bedekt zijn. Dan stap ik naar buiten. En natuurlijk bots ik meteen tegen een tuinstoel aan die hard over de grond schuurt. Maar ik denk niet dat hij me kan zien, er staat een scheidingsmuur tussen ons in. Ik schuif de stoel opzij, houd mijn handen voor me en loop door tot ik de balustrade voel. Rustig keer ik me om naar het andere balkon, alsof ik kan zien dat hij daar staat, tegen de balustrade aangeleund, net als ik.

'Jij speelt vals.'

Zijn stem komt van het balkon. Hij praat zachtjes, wil de buren zeker niet wakker maken.

Ik blijf met mijn gezicht in dezelfde richting staan, alsof ik een filmdiva ben die naar de horizon staart.

'Wij zouden toch geen kleren aan doen,' zegt hij.

'Misschien heb ik hieronder geen kleren aan.'

Ik trek aan mijn trui en heb spijt dat ik die grote, vormloze wollen trui heb aangetrokken. Hij zit over mijn diep uitgesneden topje heen en bedekt ook mijn hotpants.

Ik hoor voetstappen, hij komt dichterbij, ik draai me om naar het geluid. Voor het geval dat hij glimlacht, trek ik mijn ene mondhoek omhoog. Ik voel me… lief.

'Kun je niet even je bril afzetten?' zegt hij. 'Dan kan ik je ogen zien.'

Mijn glimlach verdwijnt, ik voel me zwaar. Maar ik duw mijn mondhoeken weer omhoog, ga rechtop staan. *What the heck.*

Ik zeg:

'Dat zou niet eerlijk zijn.'

Hij komt dichterbij, ik ruik een bekend mannenluchtje. Hij ruikt volwassen.

'Wat bedoel je?'

Ik pak mijn bril en zet hem rustig af.

'O,' zegt hij en hij lacht onzeker. Hij doet iets met zijn mond, smakt, maakt grimassen, geen idee eigenlijk.

'Ik had me dus helemaal niet hoeven uitkleden.'

Weer die ondeugende, speelse stem.

Ik schuif mijn bril weer op.

'Jij hebt dus niets aan?'

'Dat hadden we toch afgesproken.'

'Heb je het niet koud?'

'Nou, eerlijk gezegd heb ik wel íéts aan.'

'Je bedoelt je onderbroek?'

'Iets meer.'

'Zie je er goed uit?'

'Ik vind van niet. Maar ja, ik ben dan ook geen homo. Mijn moeder vindt wel dat ik er leuk uitzie.'

'Zij is niet objectief, haar kan ik niet vertrouwen.'

'Ik dacht niet dat het uiterlijk zo belangrijk was als je niets kunt zien...'

'Je moet toch een bepaalde standaard hebben.'

Ik reik met mijn linkerhand over de balustrade, houd die tegen hem aan.

'Wil je mijn gezicht aanraken?' vraagt hij.

Ik glimlach.

'Ik wil je gewoon een hand geven. Mijn nieuwe buurman welkom heten. Het gebeurt alleen in films dat blinden anderen in het gezicht slaan.'

Zijn hand streelt zacht langs de mijne, glijdt in de mijne. Hij is warm, een beetje klam. Hij geeft me een stevige hand en trekt hem weer terug.

Ik leun tegen de balustrade aan, richt mijn gezicht naar de wereld.

'Ik heb jullie niet horen intrekken,' zeg ik. 'Wist niet eens dat Hans Gjermund Kristoffersen zou verhuizen.'

'We zijn vandaag aangekomen. We zijn nog niet helemaal over... en het is gemeubileerd, dus we hadden geen verhuiswagen of zo.'

'Maar blijft Hans Gjermund nu de hele tijd in Berlijn wonen dan?'

'Geen idee. Mijn moeder heeft het allemaal geregeld, ik ben gewoon... meegegaan.'

Hij is iets naar achteren gaan staan, ik voel dat er meer lucht tussen ons in zit.

'Met hoeveel zijn jullie?' vraag ik.

'Alleen mijn moeder en ik. Ze is ziek, ze slaapt nu, ik moet zo naar haar toe...'

Zijn voetstappen galmen op het balkon, hij draagt schoenen.

'Wacht!' fluister ik. 'Ik vroeg me af... Kun je...'

Ik moet iets bedenken waardoor hij hier blijft, langer met me praat.

'Ik vroeg me af...'

Een boek! Hij kan me voorlezen!

'Ik heb een boek... Er is geen luisterboek van... Kun je me misschien een stukje voorlezen?'

'Ik weet het niet...'

'Wacht even, dan haal ik het!'

'Ik móét nu echt gaan.'

'Ik ben zo terug!'

Op de tast zoek ik de deur, neem grote passen, voel dat de boekenplank dichterbij komt en zoek de boeken af, strijk met mijn vingers over de ruggen, vind een boek met een glad omslag, trek het eruit. Het heeft haast, hij kreeg het opeens zo druk.

'Ik heb hem!' roep ik naar de deuropening. Ik ren half, met mijn tenen stoot ik tegen de metalen drempel aan, maar ik klem mijn tanden op elkaar en loop voorzichtig naar de tussenmuur. Ik hoor vreemde geluiden, gekraak, en hij ademt moeizaam, alsof hij iets zwaars vasthoudt. Ik loop naar de balustrade. Zijn ademhaling stokt, alsof hij zijn adem inhoudt.

'Deze zou erg goed zijn,' zeg ik en ik geef hem het boek aan.

Opeens ademt hij weer, snel, alsof hij heeft gerend. Het hout kraakt, wat is hij aan het doen? *Doenk*, klinkt het, alsof hij ergens vanaf is gesprongen.

Het boek wordt uit mijn handen gerukt.

'Oké,' verzucht hij lichtelijk geïrriteerd. Hij bladert, de bladzijden knisperen. Hij ademt gewoon.

'Voorwoord,' leest hij schor, zijn stem slaat over. Hij schraapt zijn keel. 'De westerse wereld is bezeten van seks.'

Een dikke, verstikkende warmte schiet omhoog naar mijn gezicht.

Hij leest verder:

'Seks wordt gebruikt in de reclame, als politiek wapen, in de moderne journalistiek en als een hoofdbestanddeel van soaps...'

'Dank je!' onderbreek ik hem, mijn stem is fel, net mijn moeder.

'Is dit het verkeerde boek of zo?'

Hij heeft weer die ondeugende stem opgezet. En ik probeer mijn stem onder controle te krijgen.

'Nee, maar het voorwoord is zo saai, begin maar waar het spannend wordt...'

Hij bladert verder.

'Spannend? Oké, dat begint hier. Geprezen zij Allah, die de jonge meisjes met klokvormige borsten versiert en die de vrouwenheup tot een aambeeld weeft voor de bonkende hamer van de man.'

Hij leest nu luid en duidelijk, en plagend langzaam. Benadrukt de pijnlijke woorden extra, vindt het heerlijk te zien dat ik het gênant vind. Nee, hij dénkt dat ik het gênant vind, maar ik ben de Queen of the World. Ik heb hier geen problemen mee!

'Ja, hier begint het spannend te worden,' zeg ik en ik draai me van hem en de balustrade af, laat me zakken en ga lekker op de grond zitten. Om te laten zien dat ik er klaar voor ben om heel lang naar hem te luisteren.

'Ga door!'

Hij loopt over de houten planken, ik voel dat zijn luchtje mij van achteren tegemoetkomt. Hij gaat ook zitten geloof ik. Met zijn rug tegen de mijne?

'Door de geschiedenis heen hebben mannen en vrouwen ervan gedroomd de perfecte sekspartner te vinden. De vrouw is in het nadeel als het gaat om het vinden van het ideale lustobject. Zij heeft altijd moeten wachten tot de juiste man opdook.'

'Ha, dat was vroeger!' zeg ik.

'De man daarentegen had de gelegenheid om op zoek te gaan naar de ideale liefdespartner. Hij had ze voor het uitkiezen; de lijst met adviezen die de literatuur geeft waar hij op moet letten bij het kiezen van de perfecte vrouw is dan ook eindeloos.'

'Nu moet je opletten, Jomar, misschien steek je er nog iets van op...'

'Wil je dat ik ook de plaatjes beschrijf?'

'Alleen als ze niets aan hebben. Als ze in hun nakie zijn.'

'Iedereen in dit boek lijkt wel naakt.'

'Ik zei toch dat het een goed boek was.'

'Hier is een schilderij van een meisje dat naakt op een bank zit...'

'Zie ik eruit alsof ik in meisjes geïnteresseerd ben? Vertel me maar over de jongens, oké?'

'Er is hier een engel, ik denk dat het een jongen is.'

'Zie je zijn dinges?'

'Nee, hij houdt een meisje vast, van achteren, hij is omlaag gevlogen en zij buigt zich naar hem toe... Hij heeft zijn ene hand op haar borst, en met de andere houdt hij haar hoofd naar achteren. Hij is van plan haar te kussen.'

'Ik dacht dat je zei dat het een engel was?'

'Hij heeft in ieder geval vleugels.'

'Maar hij wil haar borsten aanraken.'

'Hij bedoelt het toch goed?'

'Dan komt het vast ook wel goed.'

Ik begrijp niet helemaal waar ik dat vandaan haal. Maar ik vind het leuk.

Hij leest verder. Voor de lol. Hardop, met een bijna poëtische, diepe stem. Maar langzamerhand wordt zijn stem gewoon. Hij stelt zich niet meer aan, hij is gefocust op wat hij leest.

Het is waarschijnlijk echt gebeurd. In China en India en Egypte. Geschreven door eerbiedwaardige dichters tijdens belangrijke dynastieën.

Maar eigenlijk is het porno. Ongeveer hetzelfde als die cd van *Blinde Erotiek* die ik op internet had besteld. Helaas ging die meer over blote vrouwen. Over borsten als torens zo groot, of schaamhaar dat overal groeit. Ze hadden best wat gedichten over jongens erin kunnen verwerken.

'Hé?' onderbreekt hij opeens zichzelf.

'Ja?'

'Ik moet nu echt gaan.'

'Oké. Lees je me morgen weer voor?'

'Eh... Ik moet erg veel werken de laatste tijd, ik weet niet of ik kan.'

'Maar na je werk? Anders kom je toch gewoon naar het balkon en ga je daar lekker onderuit zitten. En dan lees je me wat voor.'

'Ik beloof niets.'

'Maar heb je er zin in?'

Hij glimlacht even.

'Het is toch wel een heel interessant boek.'

Hij gaat staan, de planken kraken. Ik pak de balustrade beet en hijs me omhoog. Ik voel iets hards tegen mijn arm. Het boek.

'Hou jij het maar,' zeg ik. 'Jij kunt het lezen. Als je tijd hebt.'

Hij pakt het boek aan.

'Doei.'

'*See you!*' zeg ik.

'See you?' herhaalt hij lachend.

'Ja,' zeg ik vastberaden. 'Tot later.'

Dan draai ik me gauw om, mijn paardenstaart zwiept in mijn nek. Met lange, dansende passen loop ik naar de deur. Niet dat ik het met opzet doe, het gebeurt helemaal vanzelf: mijn heupen wiegen.

'Hé… eh?' zegt hij vragend.

Ik houd de deurpost aan weerszijden vast, stap naar binnen, keer me niet om, maar sta stil.

'Ja?'

'Hoe heet je?'

Langzaam draai ik mijn hoofd om. Ik glimlach. Dan zeg ik mijn naam, luid en duidelijk:

'Julie.'

De volgende dag

Ik word wakker in het bed van mijn ouders, aan mijn vaders kant. In de gang zoemt iets, steeds weer. Mijn mobiel.

Ik vind hem in mijn jaszak op het moment dat hij ophoudt met trillen. Ik heb zes nieuwe berichten en vijf gemiste oproepen.

Mijn moeder wordt met elk sms'je nerveuzer. Het gaat van:

'Leuk hotel, maar we kijken uit op een saaie binnenplaats. Ben je goed aangekomen?'

tot:

'Ik maak me vreselijke zorgen, geen sms en geen antwoord, stuur ajb een teken van leven!'

Ik maak een sms'je en leg uit dat de mobiel de hele avond aan de oplader zat. 'Ik ben op bezoek geweest bij een jongen en je weet hoe dat dan gaat. Helaas hadden we geen condooms, nu maar hopen dat het goed gaat.'

Ik heb ontzettend veel zin om op de verzendknop te drukken, maar ik haal de laatste zinnen weg en schrijf: 'Heb tot laat op de kamer van een ontzettend leuke meid gezeten, heb mijn mobiel niet eerder gecheckt. Alles goed hier. Heel goed!'

Nog geen seconde later belt mijn moeder en scheldt me de huid vol. Ik zeg sorry volgens alle regels van de kunst, maar mijn moeder wordt steeds kwader. Tot slot pakt mijn vader de mobiel van haar af.

'Hoe gaat het met mijn dochter?' vraagt hij, even rustig als altijd.

'Super, papa! Het kamp is dit jaar echt geweldig!'

'Sorry dat mama zo reageert. Denk je er wel aan dat je zo nu en dan een sms'je stuurt, zodat ze zich geen zorgen hoeft te maken?'

'Oké!'

'*Have fun*, Julie! Tot gauw! Over en uit!'

Ik log in op het Hotmail-account van mijn moeder. Ik kan nog even niet bellen, schrijft mijn moeder naar de kampleiding. Ik heb iets opgelopen en moet continu overgeven. Julie is ook nog ziek. Dat kan nog wel even duren. Maar volgend jaar is ze vast wel van de partij.

Ik google Jomar. Trygve, de computerstem, vertelt dat het een oud-noordse naam is die 'vermaard paard' betekent.

Beetje sneue naam voor zo'n jongen. Als ik hem was, dan had ik allang een verzoek ingediend om mijn naam te mogen wijzigen.

Op het balkon brandt de zon fel. Een paar kinderen schreeuwen op het pleintje.

Ik probeer wat geluiden van Jomar op te vangen, maar het is er stil. Zijn moeder ligt vast op bed. Ik moet maar eens vragen wat ze heeft. Als het maar geen kanker is.

Hun deur staat vast open, misschien hoort ze me nu wel rondsloffen op mijn slippers.

'Hallo?' vraag ik en ik steek mijn hoofd om het balkonmuurtje. 'Is daar iemand?'

Niemand geeft antwoord.

De hele weg naar de winkel zit 'I Like You So Much Better When You're Naked' in mijn hoofd. Bij de deur zwaai ik de stok door de lucht en opent sesam zich. De warme winkellucht komt me tegemoet. Met de stok voor me uitgestoken zoek ik de weg naar de kassa.

'Is er iemand die me kan helpen met mijn boodschappen?' vraag ik.

'Ja hoor,' zeggen een vrouwenstem en een mannenstem gelijktijdig.

Ik draai me om naar de man.

'Dan neem ik het liefst jou!'

Hij is een jaar of vijfentwintig. Hij heeft een vriendelijke stem, maar het lijkt alsof hij zijn best moet doen om de toon vriendelijk te houden. Ik stel me voor dat het een lieverd is ondanks zijn leeftijd, en word een beetje baldadig.

'Ik heb bier nodig,' zeg ik. 'Heel veel bier.'

Hij lacht.

'Heb je een legitimatiebewijs bij je?'

'Ik ben achttien hoor! Ik ben alleen wat klein voor mijn leeftijd.'

'Ja, en de legitimatie heb je vast in de auto laten liggen?'

'Hoe raad je het?' vraag ik lachend.

Ik steek mijn hoofd boven de vrieskist en voel hoe de koude lucht mijn voorhoofd afkoelt.

'Drie Big One-pizza's,' zeg ik.

Ik merk dat hij dichterbij komt en over de vrieskist bukt.

'Ben jij getrouwd?' vraag ik.

'Ja.'

'Jammer, anders had ik je mee kunnen vragen naar de film.'

'Ben ik niet iets te oud voor jou?'

'Ik ben al achttien, weet je nog.'

'Ja, dat is waar. Ik laat het je wel weten als ik ga scheiden.'

'Goed plan.'

Ik neem een bad en dat voelt buitengewoon lekker. Ik luister of ik Jomar of zijn moeder hoor, maar ik hoor alleen het suizen van de leidingen.

Ik zing voorzichtig:

'I like you so much better...'

Geen antwoord.

Daarna voelen mijn wangen weer helemaal warm en tintelend aan. Ik ruik naar douchecrème en mijn huid is heerlijk zacht.

Ik trek mijn zomerjurk aan. Hij plakt aan mijn lichaam, ik strijk de plooien glad over mijn buik en heupen en voel me goed. Check even of mijn borsten goed in mijn jurk zitten en voel dat de afstand ertussen kleiner is dan ik me kon herinneren. Volgens mijn vader zie ik er niet ordinair uit.

Er staat nu schaduw op het balkon, de houten planken zijn koeler. Geen enkel geluid van Jomar of zijn moeder. Het is over vijven, hij kan al klaar zijn met zijn werk. Ik schuif met de stoelen zodat hij me kan horen. Maar het blijft stil bij hen.

Ik besluit na te gaan of hun balkondeur openstaat. Als zijn moeder ziek is, kan het met deze warmte prettig zijn de deur dicht te houden. In de sporttas van mijn vader vind ik een tennisbal. Ik ga bij de balustrade staan en probeer te richten: de balkondeur is bij hen op dezelfde plek als bij ons, in de hoek bij de muur naar de andere buren. Ik leun over de balustrade, stap iets dichterbij, mijn tenen raken iets. Een rand, het oppervlak is glad en plakt tegen mijn voet. Ik buk. Het is het boek. Waarom heeft hij het hier gelegd, op ons balkon? Geeft hij het weer terug? Heeft hij toch geen zin om het te lezen?

'Jomar?' vraag ik.

Geen antwoord.

Ik werp de bal. Klets, ik hoor glas rinkelen, van de ruit in de deur of het raam. Nu weet ik het: de deur zit dicht, anders had ik wel iets gehoord, een tv, een radio, stappen, gekuch.

Niemand heeft op een hete dag als deze z'n deur dicht.

Het doet pijn. Hij vond me niet leuk, hij deed maar alsof, om stoer te doen. Ik kan het boek mee naar binnen nemen, het op de plank zetten en alles vergeten. Niet meer aan hem denken.

Maar ik ben de Queen of the World. Ik geef niet zomaar op. Dus ik schuif het boek terug naar het balkon van Jomar. Dan kan hij zien dat ik het gevonden heb. En dat ik wil dat hij het krijgt. Als hij niets met mij te maken wil hebben, schuift hij het boek maar terug.

Ik laat Trygve de lijst hardop zeggen. En maak de balans op.

Ik ben vandaag in bad geweest, en heb gegeten wat ik wilde. Ik ben bezig nieuwe vrienden te maken: Jomar. En de man in de winkel telt ook mee, vind ik.

Maar ik denk niet dat het drinkgelag van gisteren onder de noemer dronken valt. Ik was hooguit aangeschoten. Daar moet ik nog aan werken.

Ik log in op de Hotmail van mijn moeder, maar de kampleiding heeft nog niet geantwoord.

Op MSN is Silje de enige van mijn contacten die is ingelogd. Ik probeer Jomar te vinden, maar zonder achternaam kun je niet zoeken. Ik ga naar de online telefoongids. Er is één Jomar in de stad, Toralf Jomar Hansen. Mijn wangen worden warm. Toralf Jomar Hansen. Ik toets het nummer in en laat Björn Borg het oplezen zodat ik zeker weet dat het klopt.

Ik krijg meteen een antwoordapparaat. Een grove, roestige stem zegt: 'Dit is het antwoordapparaat van Toralf Hansen. Voor sneeuwruimen kunt u niet meer bij mij terecht, maar bel voor meer informatie…'

Mijn wangen branden helemaal.

Hij heet geen Jomar. Wie heet er nou ook Jómar? Alleen bejaarden en idioten. Hij zei dat alleen maar om iets te zeggen te hebben. Hij is niet van plan ooit nog met me te praten, daarom schoof hij het boek terug.

Hij heeft de deur dichtgedaan en komt niet meer op het balkon. Hij vindt me lelijk en loopt vast in een grote boog om me heen als hij me op straat ziet.

Klootzak.

Naar binnen

Ik ben nat en bezweet, en word wakker van de stilte. Ida Maria heeft een hele tijd opgestaan, maar nu zijn de batterijen kennelijk leeg, mijn iPod is uit.

Er is iets met de lucht, het is kouder. En het is stil, geen enkel geluid. Het is nacht, ik voel het.

De balkondeur, denk ik, hij staat open. Er kan zo iemand via het balkon naar binnen sluipen, want we wonen op de eerste verdieping.

Ik schuif het dekbed van me af. Een koude tocht trekt langs mijn benen. Grote zweetplekken onder mijn armen. Nu moet mijn jurk in de was, verdorie!

De koude tocht van de deur strijkt langs mijn benen als ik door de gang naar de woonkamer loop, het is net alsof ik in een wolk loop die groter en kouder wordt naarmate ik dichter bij de deur kom. Ik ken de weg, maar heb de stok bij me, voor het geval dat. Als ik iemand hoor, krijgt hij een mep. Heel hard ook.

Ik ruik het natte gras en de frisse lucht van buiten. Het heeft geregend.

Het boek moet drijfnat zijn geworden. De planken onder mijn voeten zijn koud. Waar de tussenmuur ophoudt worden de planken onder me vochtig. Ik buk, vind een opening naar het balkon van Jomar, zoek het boek. Het ligt er niet meer.

Hij heeft het meegenomen.

Of zijn moeder heeft het meegenomen.

'Ik sloeg mijn armen om haar heen.'

Ik schrik. Hij is het, met zijn hese, overslaande stem.

'... en ik voelde de lust branden.

Toen ontwaakte ik uit de nachtelijke droom.

En lag daar met niets in mijn handen.'

Het kriebelt, als warme kietelende regen in mijn nek. Ik moet me inhouden om niet te gaan glimlachen. Rustig sta ik op, ik beweeg bewust langzaam, misschien niet heel gracieus, maar in elk geval niet als een debiel.

'Aha,' zeg ik. 'Droom je dát soort dingen?'

Mijn stem klinkt precies goed: blij, ondeugend en sterk.

'Ik lees gewoon wat er staat.'

Ik hoor aan zijn stem dat hij glimlacht. Ik druk mijn armen tegen mijn lichaam aan, hoop dat hij de zweetplekken niet ziet. Ruik ik vies? Hij staat een stukje verderop op het balkon, misschien helemaal bij de muur.

'Deze is best wel grappig,' zegt hij.

'Een meisjesmond getuigt van de vorm van het zaakje
een mannenneus toont je de lengte van de staak,
de wenkbrauwen en het schaamhaar zijn identiek vaak.'

Ik moet even nadenken. Dan komt het:

'Jij blij dat ik je neus niet kan zien...'

'Je mag hem best even aanraken.'

'Nee, dank je.'

Ik meet de balustrade tussen ons in, vanaf de tussenmuur naar het einde. Voel dat het groot genoeg is. Dan begin ik te klauteren.

'Wat doe je?' vraagt hij, hij klinkt gestrest, bang.

'Ik kom naar je toe.'

Er schuurt een stoel over de vloer, ik hoor hem half rennend op me af komen, sta nu met één been aan elke kant.

'Hé, stop!'

'Het gaat wel.'

Ik ben net van plan een voet op zijn balkon te zetten, als hij me stevig bij mijn arm pakt en me terugduwt.

'Laten we bij jou naar binnen gaan,' zegt hij. 'Het gaat niet goed met mijn moeder.'

Zijn vingers knijpen stevig in mijn arm, en ik voel een enorme druk op mijn borst: het doet zeer, ik wil terug.

Hij verslapt zijn greep, houdt me nog vast, maar minder stevig, alsof hij zich er nu meer bewust van is. Misschien was dat het gewoon, misschien was hij bang dat ik zou vallen. Ik ga terug naar mijn kant, trek het andere been weer bij. Hij laat los, ik ben weer vrij.

'Sorry,' zegt hij.

'Geeft niet.'

Zijn stem is zacht, vol spijt.

'Misschien is het beter als we allebei aan onze eigen kant blijven,' zegt hij.

Misschien wel, denk ik.

'Zal ik nog wat voorlezen?' fluistert hij voorzichtig.

Hij is nu helemaal soft.

Ik kom iets dichterbij, stoot tegen de balustrade aan die tussen ons in staat, en ik voel zijn lichaam voor me, voel de warmte. Zijn adem raakt mijn wang telkens als hij uitademt, hij ruikt naar tabak. Ik houd van die geur, merk ik, dat was nooit zo, maar nu houd ik ervan.

Ik zet een stap naar achteren.

'Kom.'

'Weet je het zeker? Ik kan ook hier lezen.'

'Het is zo koud,' zeg ik. 'Kom mee naar binnen.'

'En je ouders dan?'

'Kom...'

Ik ga op de bank zitten, mijn blote voeten plakken door een vlek op het parket. Wijn.

'Doe de deur dicht,' zeg ik en ik schuif een stukje op. Ik probeer de kleverigheid eraf te krijgen door mijn voeten tegen de bank aan te wrijven.

Ik hoor de fauteuil kraken. Ben een beetje teleurgesteld.

'Je mag best hier komen zitten,' zeg ik en ik klop op de bank.

'Nee, dank je,' zegt hij streng. 'Waar is je moeder? En je vader?'

'Weg, ver weg,' zeg ik.

'Ben je vaak alleen?'

Dat spul onder mijn voeten lijkt wel vastgekoekt. Ik moet het afspoelen.

Wijn, denk ik. Hij wordt vast losser met wat alcohol.

'Heb je zin in wijn?' vraag ik.

'Nee,' zegt hij streng. 'Wil je dat ik ga voorlezen?'

Nu stort mijn wereld in. Hij vindt me niet leuk. Hij is hier omdat hij vindt dat hij dat moet. Hij vindt me lelijk en klungelig. En met die stomme jurk van me zie je alles. Mijn vetrolletjes. Het zweet dat overal zit.

Prompt sta ik op, loop weg.

'Waar ga je naartoe?' vraagt hij.

Ik strompel weg, schuif de tafel opzij, loop langs de bank en bonk met mijn schouder tegen de muur, maar daar trek ik me niets van aan.

'Dóéi!'

Ik vind de deuropening naar de gang, loop op de tast naar mijn kamer, maar bega een blunder als ik de deur wil dichtslaan: met mijn armen maai ik wild door de lucht.

Mijn neus en mijn ogen prikken, ik moet mijn tanden op elkaar klemmen, mijn ogen dichtdrukken en niets laten merken. Ik pak mijn gitaar, speel een paar harde, nijdige riffs. Straks is hij weg, dan is het voorbij. Dan kan ik alles vergeten, hem achter me laten, en hoef ik nooit meer aan hem te denken. Hij is toch niks voor mij.

Maar hij gaat niet weg, hij komt schuifelend binnen en ik speel harder, nog harder, maar ik voel dat hij verder komt, ik stop niet met spelen, ga door.

'Ik zei dóéi!'

'Ik vind je leuk, Julie. Maar...'

Zijn stem is bijna niet te verstaan door de gitaar.

'Je kent me niet. Ik wil best voor je lezen, maar ik kan niet...'

Ik eindig acuut met een snijdende riff.

'Ik wilde alleen dat je naast me op de bank kwam zitten!'

'Oké... Goed...'

'Ik vroeg toch niet of we gingen trouwen!'

'Dat kan ik natuurlijk wel...'

'Nou, doei! De deur valt vanzelf in het slot!'

Ik pingel door, raak de snaren niet goed, het snijdt. En ineens ligt hij op me, het gaat zo snel dat ik me niet kan verdedigen, hij drukt zijn mond op de mijne. Hij ruikt naar tabak, aftershave en jongen.

Ik duw hem van me af.

'Waarom doe je dat?' roep ik.

'Ik had er zo'n zin in.'

Ik probeer hem met de gitaar te slaan.

'Aú!' kermt hij.

'Ik had er zo'n zin in!'

Hij snuift.

'Ik bedoelde het goed...'

'Misschien voelde het ook goed!'

Ik ben helemaal buiten adem, mijn wangen gloeien.

Hij gniffelt. Hij probeert zich in te houden, maar het lukt niet. Ik voel het ook, waar zijn we toch mee bezig? En ik barst in lachen uit. Hij lacht volkomen hysterisch, krijgt er kramp van. Ik houd van die lach, broos en knapperig, ik heb zin om mee te doen. Ik schater het uit.

'Hé,' zegt hij als we eindelijk onze lachbui onder controle hebben.

'Ja?'

'De volgende keer sla je niet zo hard, oké?'

Hij vraagt me wat te spelen. Ik begin met 'We're All Going to Hell', ik vraag of hij het herkent.

'Nee, zing eens wat...'

Ik speel tot de eerste regel, zing zachtjes:

'*I wish I could pretend I'm not alone.*

I wish I could defend everyone.'

Ik word hartstikke onzeker, klungel met de akkoorden, raak ze niet zuiver als ik zing, maar ik concentreer me op het refrein. *And we're all going to hell.* Het klinkt allemaal zuiver, het klopt allemaal, en ook de volgende regels klinken goed, maar ik weet niet wat hij ervan vindt. Hij is op mijn bureaustoel gaan zitten denk ik, ik hoor hem niet, misschien staart hij gewoon uit het raam, uit verveling.

Ik laat de gitaarklanken wegsterven.

'Geweldig,' zegt hij, en ik ben opgelucht, trots, heb zin om door te gaan.

'Wie was dat?' vraagt hij.

'Ida Maria.'

'O. Mooi... Hé... eh...'

'Ja?'

'Heb jij internet op deze pc? Wij hebben nog geen internet, en ik heb al een tijd mijn mail niet kunnen checken.

Ik ben een beetje teleurgesteld, had gehoopt dat hij me zou vragen meer te spelen, maar ik loop naar de pc, sluit Word af, open Internet Explorer voor hem, en vis de muis achter het scherm vandaan.

'Ik gebruik hem niet zo vaak,' leg ik uit en ik sta op om plaats te maken.

'Geen porno, oké?'

'Dat heb ik niet nodig nu ik dat boek van jou heb...'

Hij tikt snel, klikt, Trygve leest alles voor waar hij overheen gaat, Jomar zucht geïrriteerd.

'Kun je die stomme stem uitzetten?'

Ik ga naar hem toe, zoek het toetsenbord en raak zijn hand, hij trekt hem weer terug. Terwijl ik typ, leun ik nonchalant tegen hem aan, met mijn schouder tegen zijn schouder. Hij blijft stil zitten, verroert zich niet.

'Wat is dit?' vraagt hij en hij pakt mijn hand vast, streelt ermee over de brailleleesregel, zijn hand is warm. Ik leg uit wat het is, dat ik het gebruik om met mijn vingers te lezen wat er op het scherm staat.

'O,' mompelt hij en hij schuift mijn hand weg, begint weer te tikken.

Ik ga op mijn bed zitten. Tokkel wat op mijn gitaar, oefen nog wat op 'We're All Going to Hell'. Ik hoor hem met de muis klikken, en het getik op het toetsenbord.

Hij ademt heel lang en onregelmatig uit.

'Slecht nieuws?' vraag ik.

'Niet echt. Ga jij eigenlijk nog slapen?'

Ik trek mijn schouders omhoog.

'Jij moet zeker morgen vroeg naar je werk?'

'Dat komt niet zo nauw. De nacht is nog jong.'

De stoel kraakt, hij staat op.

'Ik wil je graag even iets laten zien,' zegt hij.

'Iets laten zíén?' vraag ik uitdagend.

Hij lacht.

'Iets waarvan ik wil dat je het voelt.'

'Ik hoop niet dat het je neus is.'

'Nee, iets veel groters.'

'Bij jou thuis?'

'Nee, buiten. In de grote wijde wereld. Ga je mee?'

De grote wereld

Ik heb erop aangedrongen dat hij me niet als een blinde leidt. Ik wil niet aan hem hangen. Dan ziet iedereen op honderd meter afstand dat ik blind ben. Nu zie ik er gewoon uit als een doodnormaal meisje dat arm in arm met haar vriendje op stap is. Met een zonnebril op. Midden in de nacht.

Niet dat er nu zo veel mensen op straat zijn. Alleen een enkele auto die langsraast.

Zijn hand is warm en klam, zijn greep is stevig. Zo nu en dan trekt hij een beetje aan me om de juiste koers aan te houden, maar hij leidt me niet, ik loop zelf.

De lucht is koel, ik ben blij dat ik een broek en topje aan heb gedaan, en een jas.

'Als ik had geweten dat het zo ver was, had ik de fiets gepakt,' zeg ik.

'De fiets?' zegt hij verbijsterd. 'Heb je een fiets?'

'Tuurlijk.'

'Maar dat is toch levensgevaarlijk! Je ziet toch niets!'

'Mijn begeleidster fietst naast me en vertelt me wanneer ik moet afslaan.'

'En je kunt haar midden in de nacht opbellen om een eindje te gaan fietsen?'

'Niet meer, ze is er voor de zomer mee gestopt.'

'Dat begrijp ik best, met zo'n levensgevaarlijke baan!'

'Jemig, ze krijgt er toch voor betaald!'

We lopen een heuvel op, ik struikel haast, het waait, de lucht is frisser, het ruikt er naar zeewier en zee.

'Zijn we bij de brug?'

'Yes.'

'Waar gaan we heen?'

'Naar de brug.'

'Naar de brug?'

Opeens begrijp ik het. Sukkel, denk ik. Maar ik zeg: 'Klootzak!'

Ik trek mijn hand los en stop.

'Wat is er dan?' vraagt hij.

Ik probeer me de lijst te herinneren, of er iets op staat wat hij niet mag weten. Gelukkig heb ik dat van die vriend weggehaald. Dat van het zwemmen begrijpt hij niet. Maar er staat dat ik met iemand wil zoenen, als het moet met een meisje.

En opeens begrijp ik waarom hij zo'n zin had. En me ging kussen.

'Je hebt mijn lijstje gezien!'

'Hè?'

'We gaan op de brug balanceren, toch?'

'Als je dat graag wilt...'

'Je mag niet meer in mijn spullen snuffelen!'

'Wil je die dingen doen, of niet?'

'Ik wil dat zelf doen.'

Hij lacht honend. 'Zelf doen,' herhaalt hij met een kinderlijke stem. 'Je klinkt als een klein kind.'

'Maar ik ga het ook zelf doen!'

'Op de brug balanceren? En autorijden?'

'Ja!'

'Oké, veel succes dan!'

Met zware pas loopt hij weg. Het geluid wordt steeds zachter. Klootzak. Hij loopt gewoon weg.

Onder me hoor ik de golven. Mijn ogen tranen door de wind. Het geluid van zijn koppige voetstappen verstomdt. Ga maar, loop maar weg!

Ik weet de route naar huis niet. Ik weet de richting, zo ongeveer, maar we hebben paar bochten gemaakt en ik weet niet precies hoe ik moet lopen. Plotseling voelt het alsof ik een schop in mijn buik krijg, ik krijg geen adem. Ik word duizelig, zoek de reling en houd me vast.

Rustig maar, Julie. Ontspan. Je hebt een mobiel, je kunt gewoon een taxi bellen.

Ik haal adem, concentreer me. Ik heb alles onder controle.

'Hé, wacht eens!' roep ik hard. 'Jomar!'

Ik laat mijn hand langs de reling glijden terwijl ik hard in zijn richting loop. Ik struikel haast, de helling is steiler dan ik had gedacht. Ik moet gewoon wat schuiner lopen, even de goede hoek vinden.

'Wácht!' roep ik.

Maar ik hoor hem snel weglopen.

'Ik wil je gewoon graag helpen!' roept hij.

'Ik wil gewoon geen begeleider, snap je dat?'

Ik concentreer me op mijn stappen, let op dat ik mijn voeten goed optil en neerzet zodat ik niet struikel. En opeens bots ik tegen hem aan.

'Kijk toch uit!' zegt hij lachend.

'Je staat midden op de weg!'

'Je vroeg toch of ik wilde wachten…'

Ik moet lachen. En hij lacht ook, om hem, om mij, om ons. Hij frunnikt ergens aan, het knispert.

'Oké,' zegt hij. Het klinkt alsof hij eten in zijn mond heeft. Nu herken ik het: de nicotinelucht, hij heeft net een sigaret opgestoken.

'We doen het samen,' zegt hij. 'Ik maak van jouw lijst mijn lijst, dan doen we het samen.'

Ik ben sceptisch.

Dat is juist het punt, ik wil het zelf doen. In mijn eentje. Hij denkt zeker dat ik een begeleider nodig heb.

Maar een van de punten is om iemand te leren kennen. Dit kan een manier zijn. Misschien heeft hij wel vrienden die ik leuk vind. En als hij me niet op die manier leuk vindt, kan ik misschien iemand anders ontmoeten. Via hem.

'Goed,' zeg ik. 'Maar je moet wel een bijdrage leveren. Je moet ook je eigen punten erop zetten. Je kunt niet zomaar mijn dingen overnemen. En ik moet de dingen doen die jij op de lijst zet.'

Hij pakt mijn hand vast.

'Deal!' zegt hij en hij knijpt hard. 'Nu eerst de brug!'

Bij een lantaarnpaal helpt hij me omhoog, ik houd me vast en hij pakt mijn voet en zet hem op een soort dwarsbalk, het andere been trek ik zelf omhoog. Op de tast zet ik mijn voet op de bovenrand. De wind duwt me treiterend opzij.

'Is het ver naar beneden?' vraag ik.

'Niet naar beneden kijken!' zegt hij.

Ik lach, hij heeft een leuk gevoel voor blindenhumor.

'Als ik het niet weet, denk ik dat het onwijs hoog is,' zeg ik.

'Niet meer dan een paar meter.'

Ik weet best dat het veel hoger is. We hebben het midden nog niet bereikt, want ik voel dat de reling nog steeds omhoog gaat. Het is een hoge brug, dat voelde ik toen we er een keer overheen reden, je voelt het in je maag als je naar beneden rijdt.

'Klaar?' vraagt hij.

Ik zet me af en mijn andere voet volgt. Hij houdt mijn hand stevig vast. Ik zet mijn voet neer en nu sta ik, voor me is er meters lucht en onder me de zee. Ik voel de wind duwen, het is alsof hij door me heen wervelt en in mijn buik rondzoemt. Ik zwaai heen en weer, voel de diepte onder me, de wind die naar me hapt, die aan mijn jas rukt.

'Gaat het?' vraagt hij.

'Ja!'

'Ik loop vlak naast de reling,' zegt hij. 'Als jij je voet hebt neergezet, kun je even voelen dat ik vlak naast je loop. En dan kun je naar me toe leunen. Ik hou je hand vast. Dat gaat goed!'

Ik leun naar hem toe, Jomar komt tot aan mijn dij. Hij houdt mijn hand stevig vast. Ik laat de lantaarnpaal los, stap voorzichtig naar voren, tast met mijn voet de reling af en voel aan de ene kant iets zachts, hém. Ik zeg tegen mezelf dat ik nu houvast heb, dat het slechts een paar meter naar beneden is, dat hij me opvangt als ik val en dat de lucht me niet wegduwt, maar dat die zich om me heen windt, me inpakt en me op mijn plaats houdt. Julie de *Queen of the World and the Air*, zo loop ik, bijna los in de lucht, en ik zet mijn voet neer, ik raak iets hards, metaalachtigs, en op de brug loopt hij, zacht en tegelijkertijd stevig. Ik til mijn andere voet op, zwaai hem door de lucht en zet hem neer, maar mijn voet glijdt uit zodat ik de andere kant op val.

Hij trekt me terug, en ik wiebel zijn kant op, hij houdt me omhoog. Mijn benen zwabberen, lijken wel pudding.

'Wil je eraf?' vraagt hij.

Maar ik span mijn spieren aan en ga langzaam rechtop staan, duw met mijn armen van me af, ze trillen, of is hij het die trilt? Ik buig mijn knieën licht, ik leun naar hem toe, maar ik sta los en ik loop, neem nog een stap, en nog een. Ik neem nog een derde stap, alleen om het gedaan te hebben.

'Vang me op!' zeg ik, en ik laat me zijn kant op vallen.

Nu is Jomar aan de beurt. Mijn benen trillen nog steeds, mijn maag voelt vreemd, maar ik voel me happy van binnen, ik ben licht, blij en heb vlinders in mijn buik. Hij klautert omhoog, ik hoor zijn voetstappen op het metaal. Ik reik hem mijn hand en hij pakt me beet, houdt mijn vingertoppen vast en begint te lopen. Mijn arm is te kort, waardoor ik op mijn tenen moet lopen. Ik ben bang tegen hem aan te stoten en hem een duw te geven, ik meet de afstand tot de reling met mijn vrije hand, en pas op dat ik niet te dichtbij kom.

Er komt een auto aan, hij remt af en stopt vlak naast ons. Jomar knijpt in mijn hand, hij staat nu stil.

'Niet springen!' roept een ijle mannenstem. 'Er is echt wel iemand die van je houdt!'

Ik sta op het punt het uit te leggen. Maar Jomar begint te snotteren. Hij snikt hard.

'Weet u dat zeker?' vraagt hij.

'Ja, heel zeker!' roept de man vertwijfeld. 'Je moeder. Je vader. Je vrienden. En je vriendin vast ook!'

Ik denk dat hij mij bedoelt. Ik bijt op mijn lip om niet in lachen uit te barsten.

'Je hebt gelijk!' kreunt Jomar. 'Ik wil blijven leven! Leve het leven!'

Opeens rukt hij zijn hand los en ik krimp ineen: hij gaat springen!

Maar ik voel de luchtverplaatsing en hoor hem op het asfalt terechtkomen.

Van zijn schoenen klinkt een speels, vlug ritme, alsof hij aan het dansen is.

'Dank u wel dat u mijn leven heeft gered!' roept hij overdreven gelukkig. 'U bent een held!'

De man in de auto snuift sceptisch.

'Ben je aan de drugs?'

'Zou dat helpen?' vraagt Jomar.

'Hou je me voor de gek?'

'Ja!'

'Tuig!'

De auto geeft gas en scheurt weg. Jomar lacht zo hard dat het gebrom niet meer te horen is. Het klinkt verschrikkelijk, maar ik vind het leuk, hij is zo… vol streken.

Opeens stopt hij en is het helemaal stil. Hij staat niet meer naast me, ik voel dat de lucht leeg is.

Ik probeer te horen waar hij is, maar de wind suist om mijn oren.

'Waar ben je?' vraag ik.

'Julie!' zegt hij en hij duikt voor me op, ik schrik me rot. 'Nu gaan we ons bezatten!'

Dronken

We hebben een taxi genomen met mijn vervoerskaart, Jomar zei iets van de hoofdstraat. We zijn in het centrum, hij houdt mijn hand vast en sleept me achter zich aan als een blindengeleidehond.

'Heet je echt Jomar?' vraag ik.

'Ja.'

'En hoe nog meer?'

'Bertelsen.'

Ik moet lachen.

'Jomar Bertelsen?'

'Ja.'

'Waarom sta je niet in de telefoongids?'

'Heb je dat gecheckt?'

'Voor het geval dat je er met mijn boek vandoor zou gaan...'

'Ik heb een prepaid. Maar ik ben mijn mobiel kwijt, dus je had me toch niet kunnen bereiken.'

Het is stil in de stad, maar ik hoor gelach verderop, een vrouw die hysterisch lacht.

'Kwijt?' vraag ik.

'Geen idee waar die is. We gaan nu oversteken, kijk uit voor de stoeprand!'

'Waar gaan we naartoe?' vraag ik.

'Naar de Club, of iets wat erop lijkt. Maar dit is stukken leuker!'

Ik hoor nasale mannenstemmen en klaterend vrouwengelach. Ik krijg een knoop in mijn maag. Dronken mensen zijn gevaarlijk. In de Club, die ene keer met Silje, waren er telkens weer van die grote jongens die tegen me aan stootten, het was er druk, we moesten ons langs armen en schouders heen wurmen. Als ik ging dansen, wist ik zeker dat iemand me nadeed en de draak stak met mijn bewegingen. De muziek bonsde luid, maar ik hoorde het gegiechel, voelde de blikken.

Het gelach deed pijn aan mijn oren.

Mijn lichaam voelt zwaar aan, mijn stappen zijn loom. Jomar moet me meeslepen.

'Kom op!' zegt hij. 'Het wordt echt leuk!'

Al die dronken mensen staan nu recht tegenover me, de vrouwen zijn hees, de mannen lachen luid, ze vormen een soort muur.

Als ik dronken word, ben ik net als zij. Ik kan dan heel hard lachen en ik bots ook tegen mensen aan. Ze zullen het verschil niet merken tussen mij en die andere dronken mensen. Ik kan mijn zonnebril op houden en doen alsof ik dat cool vind. Als er dan iemand gaat lachen of iets brutaals zegt, lach ik gewoon terug en zeg iets wat veel en veel erger is.

Als je dronken bent, is alles geoorloofd.

Als ze dreigen te gaan slaan, kan ik mijn bril afdoen. Niemand slaat een blinde in elkaar.

Ik ga mee naar binnen.

Jomar trekt me mee de warme, verstikkende lucht in die ruikt naar kapotte lampen, zweet en bier. Boenk, boenk, boenk pompt de muziek door mijn voeten, benen, hoofd. Er zijn niet veel mensen, ik merk dat het leeg om me heen is. De vloer trilt van de bas, het is net alsof ik op een boot zit.

Jomar duwt me op de bank en vraagt of ik geld bij me heb voor wat drankjes.

'Ik heb geen contant geld,' zegt hij. 'En ik kan mijn pasje niet gebruiken, want dan moet ik ook een ID laten zien, en dan zien ze dat ik nog geen achttien ben. Maar je krijgt het natuurlijk van me terug!'

Nog géén achttien, denk ik en ik trek een briefje van tweehonderd kronen uit mijn portemonnee, dan is hij niet té oud.

'Dit rondje is van mij!' zeg ik en ik zwaai met het briefje.

'Is dat alles?' vraagt hij en hij rukt het uit mijn hand. 'Het is bijna de laatste ronde, we moeten een voorraadje aanleggen. Als je dronken wilt worden tenminste.'

Ik heb nog twee briefjes. What the heck, ik geef ze allebei.

Hij blijft lang weg.

Ik wiebel mee op de maat van de muziek en richt mijn blik die kant op, alsof ik naar de dansvloer kijk, maar voor zover ik weet is die er niet. Of er danst niemand en ik zit gewoon voor me uit te staren.

Jomar komt eraan, hij klettert iets op tafel, een blad.

'Wat heb je voor lekkers?' vraag ik.

'Tequila!'

'Wauw!'

Ik ken tequila alleen van films, degenen in de klas die drinken heb ik er nooit over gehoord.

Hij komt naast me zitten, de kussens van de bank drukken me zijn kant op, en nu ruik ik dat hij niet datzelfde luchtje op heeft als gisteren, dit is sterker, krachtiger.

Ik leg mijn hand open op tafel, klaar om iets aan te pakken.

'Kom maar hier met dat drankje, Jomar!'

Hij drukt een piepklein glaasje in mijn hand.

'Het is een shot,' zegt Jomar. 'Je moet het in één slok achterover slaan.'

'*Whatever*,' mompel ik en ik breng het glas naar mijn lippen. De alcoholgeur prikt in mijn neus, mijn mond gaat uit protest dicht, ik houd het glas daar, aarzel.

Ik ben straks de controle over mezelf kwijt. Dan ga ik rondzwabberen en weet ik niet meer waar ik ben. En ik heb mijn stok niet bij me.

Maar ik heb net op de brug gebalanceerd. Op de brúg! Hoeveel anderen hebben dat gedaan?

Ik ken er maar één: Jomar.

Maar ík heb zijn hand vastgehouden. Ik heb hém begeleid.

En ik heb een vervoerskaart en een bankpasje in mijn portemonnee, en een mobiel. Als me iets overkomt, kan ik gewoon een taxi bellen.

Ik drink, mijn mond staat in de fik, het brandt en prikt. Mijn mond werkt niet mee, wil het uitspugen, maar ik pers mijn lippen op elkaar, duw het door mijn keel, voel het overal prikken.

Mijn mond is gevoelloos en mijn ogen tranen. Maar ik ben een vuurvreter, ik heb het gewoon doorgeslikt!

'Ah!' kreunt Jomar. 'Dat brandt!'

Ik voel mijn neuswortel.

'Hoeveel moet je drinken om dronken te worden?'

'Geen idee...'

Hij rukt het glas uit mijn hand en geeft me een nieuw glas. De geur prikt in mijn neus, de misselijkheid neemt bezit van me. Maar ik geef niet toe, ik giet het naar binnen, en dit is nog sterker, het prikt en gloeit en achter in mijn keel zwelt er iets op, ik moet hard slikken om het door mijn strot te krijgen.

En dan is het voorbij. Mijn mond is gevoelloos, mijn maag stribbelt tegen, een klein beetje maar.

Ik check het even. Maar voel niets.

Schud met mijn hoofd. Het voelt normaal.

Jomar zet het glas hard op tafel.

'Voel jij al iets?'

'Ja, nu merk ik het,' zeg ik, maar ik twijfel: misschien voel ik later pas wat. 'Een beetje in ieder geval.'

Ik haal mijn mobiel uit mijn zak.

'Ik neem even een foto van je.'

Hij lacht hees en warrig.

'Wat moet jíj nou met een foto?'

Ik richt de lens op hem.

'Richt ik zo goed?'

Hij pakt mijn hand beet, duwt hem iets opzij.

Ik druk hard en lang op de knop, maar de muziek staat te hard, ik hoor geen klik.

'Deed de flits het?'

'Ja, maar je hebt mijn vraag niet beantwoord.'

'Ik ga mijn vriendinnen vragen hoe je eruitziet. Ik kan je moeder toch niet vertrouwen.'

'Je kunt het mij toch vragen.'

'Nee, het moet objectief zijn. Iedereen denkt altijd dat-ie leuker is dan in werkelijkheid, dus je kunt me zo op het verkeerde been zetten.'

Ik maak nog een foto, vraag hem te checken of die oké is, en hij zegt van wel. Hij ontfutselt mij de mobiel en zegt dat ik moet lachen.

'Maar je mag best mijn gezicht aanraken,' zegt hij. 'Als je dat wilt.'

Ik blijf lachen, voor het geval dat hij de foto nog niet heeft genomen.

'Ik weet niet of ik dat durf, misschien kom ik wel aan je neus…'

'Ja, straks bijt-ie nog!'

Hij pakt mijn arm en ik voel mijn hand prikken: hij brengt mijn hand naar zijn neus.

Maar dan drukt hij mijn mobiel in m'n hand, klemt mijn vingers eromheen. Ik ben een beetje teleurgesteld.

Ik hoor gebons op tafel.

'Proost!' zegt Jomar.

Ik zoek mijn glas, hoor dat hij zijn glas tegen het mijne stoot en voel wat
over mijn vingers lopen.

'Proost!' zeg ik en ik giet het naar binnen. Dit voelt ronder, het prikt
alleen maar een beetje in mijn keel, ik heb het in de hand, ik kan dit gewoon.

'Nu begint het ergens op te lijken!' zegt Jomar.

Mijn mond is gevoelloos. Voor de rest voel ik niets, helemaal niets,
nada.

'Ik moest vandaag aan een bepaalde film denken,' zegt hij.

'Ben je vandaag ook weer mijn bioscoop?'

'Ik ben meer een soort filmkanaal. Met dag en nacht films...'

'Leuk.'

'Deze gaat over iemand die blind is.'

Ik geeuw demonstratief.

'Boring!'

'Je weet dat niet alles op het filmkanaal even goed is... Neem nog een
shot, dat helpt.'

Hij drukt een nieuw glas in mijn hand.

'Ik ga zappen als ik me verveel...'

Het giert door mijn lijf.

'Nu begint het,' zegt Jomar, en ik meen een piepklein heerlijk gevoel
waar te nemen dat zich vanuit mijn buik verspreidt.

'Het gaat over een jongen,' zegt hij. 'Van een jaar of twaalf.'

'Is dat die blinde?'

'Nee, dat komt later. Hij heeft een supervader naar wie hij opkijkt, en
die bokser en hulpje van een of ander louche type is geweest. Maar als de
jongen op een dag zijn vader zijn goede cijferlijst wil laten zien, is zijn vader niet op zijn werk op de kade. Hij werkt daar niet meer, zeggen ze. De
jongen vindt zijn vader in een achterafstraatje, net bezig een kerel volledig
in elkaar te timmeren. De jongen is helemaal van streek, rent weg – en
botst tegen een stapel vaten met gevaarlijke chemicaliën aan. Krijgt die
over zich heen, waardoor hij blind raakt.'

'O nee!' kreun ik. 'Net nu het spannend wordt... Nu moet hij de hele dag binnen zitten, arme jongen!'

'Nee hoor, wacht maar, er komt actie, een hoop actie. Want hij wordt wel blind, maar door die chemicaliën worden zijn andere zintuigen superzintuigen. Hij hoort mensen van ver praten en een hart kloppen van iemand in dezelfde kamer bijvoorbeeld. En hij kan ruiken met welke kruiden de maaltijd bereid is, en hij krijgt een heel goed... hoe heet dat ook al weer... gevoelszintuig. Het is net alsof hij een radar heeft, alsof hij dingen en mensen toch kan zien. Hij gaat naar krachttraining en wordt supersterk, en een goede klimmer, en hij kan balanceren op de nok van een dak...'

'Wat wij op de brug deden!'

'Ja. En hij draagt een masker met kleine duivelshoorntjes en verandert in Daredevil, een soort beschermduivel, een duivel die mensen helpt. Hij hoort mensen die in nood zijn en slingert als een aap tussen de huizen door, timmert de slechteriken in elkaar en helpt mensen die in gevaar zijn.'

'En dan wordt hij verliefd op iemand die doof is, hè? Van wie hij de hartslag hoort? Zo van doenk, doenk.'

'Nee, hij valt op iemand die lekker ruikt. In een kroeg. Hij vraag hoe ze heet, maar dat wil ze niet zeggen, dus loopt hij achter haar aan. Omdat ze bang is dat hij haar iets zal doen, valt zij hem aan. En zij is dé karatevrouw, blijkt dan. Dus het wordt een geweldig gevecht, in een speeltuin, met kinderen die hen staan aan te moedigen. Aan het eind krijgt hij de overhand en neemt haar in de houdgreep, van achteren, met zijn mond vlak naast haar oor...'

'Zoals de engel in het boek?'

'Hm hm. Op een dag zitten ze buiten op het balkon en begint het te regenen. En wanneer ze helemaal doorweekt is, is het net alsof hij haar kan zien, omdat de geluiden hem raken waardoor zijn radar wordt geactiveerd. Hij kan haar zien, zeg maar.'

'En dan gaan ze zoenen?'

'Dat weet ik niet meer, het is al lang geleden dat ik hem heb gezien, maar ik denk van wel. Ik zou het in ieder geval wel doen als die vrouw bij mij had gezeten.'

'Vertelde ze hem hoe ze heette?'

'Huh?'

'Je zei dat ze haar naam niet wilde zeggen.'

'Elektra. Ze heette Elektra.'

'Elektra. Dat klinkt als een pornofilm…'

'O!'

Jomar drukt me een glas in mijn hand, het stroomt over.

'Legitimatie!' buldert een grove mannenstem en er komt me een dikke koffieadem tegemoet. Koffie vermengd met zuur zweet, hij ruikt naar leraar.

'Proost!' zegt Jomar, en ik slurp de tequila op, het loopt over mijn kin. Nog steeds voel ik helemaal niets.

'Ik denk dat ik die van mij thuis heb laten liggen,' zegt Jomar.

'Ik ben die van mij kwijt,' zeg ik.

Ik hoor de kerel de glazen verzamelen, ze rinkelen hard tegen elkaar.

'Tijd om op te stappen!'

'Maar we mogen toch zeker wel onze drankjes opdrinken?' vraag ik.

'Dat hebben we al gedaan,' fluistert Jomar.

'Maar we zijn niet eens dronken!'

'Wegwezen!'

Ik sta op, en het is net alsof ik een harde vuist tegen mijn hoofd krijg. Vanbinnen. Alles om me heen wiebelt, de wereld lijkt één grote pudding en mijn hoofd tolt als een draaimolen.

Er gaat een heerlijk gevoel door me heen, het voelt als glitters vanbinnen, het tintelt. Ik zweef, drijf door de ruimte, bots ergens tegenaan – een tafeltje denk ik, ik moet er gewoon omheen, in een boogje, ik ben gewichtloos en de lach kriebelt in mijn maag, ha ha!

Opeens ga ik onderuit, maar dat geeft niets, het is gewoon grappig, ik lach hard, ik maak er een geintje over. Iemand pakt me vast, helpt me op de been, het is niet Jomar, het is die kerel die zo zweet, hij knijpt echt hard. Iemand anders pakt mijn andere arm, maar minder hard, en de muziek klinkt ver weg, alsof ik propjes in mijn oren heb, nee wolken! De ander pakt mijn hand vast, en dat is een goede hand, een goede geur, Jomar! Die warme, goede Jomar! Ik leun naar hem toe zodat hij voelt dat ik hem leuk vind, alleen hem, en wij dobberen rond in de zaal, zweven, ik struikel over de drempel of zo, maar val niet want ik klamp me aan Jomar vast en dan zijn we weer buiten en laat de man me los. 'Zorg ervoor dat ze thuis komt!' knort hij.

Nu is er alleen maar Jomar, superleuke Jomar! Ik wiebel heen en weer, en de wind blaast door mijn haren, ik hoor schuifelende voetstappen, ben ik het die zo loopt? Dat klinkt stom zeg, ha ha! Er roept iemand, iets met een taxi, iets als verdomme, was dat Jomar? Er loeit een sirene, maar die kapt ermee, alsof hij zich bedenkt. En Jomar knijpt hard in mijn arm. 'Kom snel!'

Een vrouw schreeuwt in mijn oor: 'Je gaat toch niet met hém mee naar huis, meisje? Weet je het wel zeker?'

Jomar trekt aan me en ik struikel bijna.

'Je hebt opeens haast hè?' roept de vrouw. 'Als de politie je…'

Bloot

Het lijkt wel alsof er een harde, zware schaal om me heen zit. Alles is stil, roerloos. Het is alsof er een hamer slaat, de schaal barst, er dringt langzaam een vieze lucht naar binnen, mijn neus prikt. Auto's, ik hoor auto's, en ik voel de lucht naar binnen stromen. Een golf van misselijkheid wordt van mijn maag naar mijn keel geperst, en mijn hoofd voelt alsof het elk moment uit elkaar kan barsten.

Een káter. Ik heb een kater!

Yes, eindelijk!

Ik wil juichen en sta op, maar de misselijkheid schiet omhoog, wervelt door me heen. Mijn hoofd voelt zo zwaar aan, ik stort in.

Kots, ik ruik kots. Ik snuif, probeer erachter te komen waar de stank vandaan komt. Uit het bed? Voorzichtig voel ik om me heen met mijn hand. Die kleine beweging is voor mijn misselijkheid genoeg om zich meester van mij te maken, ik voel me net een boot. Ik tast om me heen, sla het dekbed open, naast me op het matras, het is er droog.

Ik kan me niet herinneren dat ik ben gaan liggen, ik raak in paniek. Wat is er gebeurd? Ik herinner me de taxi, dat ik op de diepe, zachte achterbank tegen Jomar aan leunde, dat ik op zijn schoot zakte en dat zijn broek ruw aanvoelde tegen mijn wang, al het andere was onbelangrijk en ver weg, maar ik voelde het patroon van zijn broek.

Een steek door mijn hart, die vrouw die zei: je gaat toch niet met hém mee naar huis, meisje?

Ik voel het strikje op mijn slipje onder mijn navel. Ik heb iets aan. Ik schuif mijn hand onder het dekbed en check het even: ik heb een t-shirt aan, zelfs mijn bh heb ik nog aan.

Maar gisteren droeg ik geen t-shirt. Ik had een topje aan.

Er is iets met het topje gebeurd. Heb ik overgegeven? Heeft híj het uitgedaan?

'Hallo?' fluister ik, maar mijn mond is droog, ik heb bijna geen stem meer.

Ik tuimel uit bed en word weer kotsmisselijk. Tast de vloer af met mijn voeten, heb geen zin om in de kots te gaan staan, of een emmer als hij daaraan heeft gedacht. Ik stoot tegen iets hards aan wat omklettert. De stok? Ik buk, door de misselijkheid ga ik waggelen, het is inderdaad de stok, ik vouw hem uit. Zwaai ermee, moet vechten om overeind te komen, het is alsof mijn hoofd mij eronder probeert te krijgen, alsof de misselijkheid mij probeert om te gooien. Met de stok tast ik voorzichtig om me heen, luister of het nat is. Maar het klinkt zoals altijd. Rustig loop ik naar voren, mijn benen zijn helemaal shaky.

In de gang ruikt het minder erg naar kots, het lijkt niet óp me te zitten, maar ín me.

In de kamer hangt een bedompte, dikke lucht. Ik probeer rustig te blijven staan om te horen of hij er is, maar het is stil. Vanuit de keuken hoor ik het gezoem van de koelkast, de klok tikt. Ik zwaai met mijn stok over de keukentafel, maar raak niets. Check ook even de kamer van mijn ouders, prik in het matras, leeg. De kotslucht achtervolgt me nog steeds. Zit het in mijn neus? Zit er opgedroogde kots in mijn gezicht? Ik tast mijn gezicht af met mijn vingers, mijn huid voelt dik aan, en ik heb iets bij mijn mond, maar dat kan opgedroogd speeksel zijn. Ik moet me wassen.

Terwijl ik de deur van de badkamer open, hoor ik hem: geklots uit de badkuip en zijn ademhaling die even stokt.

Hij lacht kort, heeft alles onder controle, blijft koel. 'Ik durfde de deur niet op slot te doen. Voor als je weer moest kotsen.'

'Heb ik in de wc gekotst?' vraag ik en ik doe alsof ik toevallig mijn hand voor mijn mond houd zodat hij niets ziet.

Hij lacht hinnikend.

'Bijna.'

'Sorry!' zeg ik en ik loop snel naar de wasbak, zet de stok eronder, maar ik hoor hem vallen. Ik wacht niet tot het water warm wordt, sprenkel wat rond mijn mond, wrijf met mijn vingertoppen bij mijn mondhoeken.

'Waar ligt het?' vraag ik. 'De kots.'

'Laat maar.'

'Ik moet het opruimen.'

'Heb ik al gedaan, laat maar.'

•

Mijn wangen worden knalrood.

'Arme jongen!'

'Het was ook een beetje mijn fout. Had ik maar niet zo veel drank voor je moeten halen.'

Mijn maag borrelt, er gebeurt iets.

'Hé,' zeg ik. 'Ik moet eigenlijk naar de wc…'

Hij rammelt aan het douchegordijn, hij zal het wel dichttrekken.

'Ik beloof niet te kijken.'

'Maar je zult wel wat horen.'

'Ik duik onder, dan hoor ik helemaal niets.'

Hij duikt op voordat ik klaar ben, hapt naar lucht, en ik vraag hem nog-maals onder te duiken. Hij blijft lang onder. Ik heb alle tijd om mijn handen te wassen, op de wc-deksel te gaan zitten en te denken: ik ben nooit zo dicht bij een blote jongen geweest. Ik ben nog misselijk van de tequila, maar voel me toch ook heel fijn.

Hij komt omhoog uit het water, er spetteren druppels op me, hij hapt naar lucht.

'Het was niet de bedoeling om je te laten verdrinken!' zeg ik lachend.

Hij komt weer op adem.

'Nu kunnen we wat punten van de lijst wegstrepen,' zegt hij. 'We zijn dronken geweest, jij in elk geval. We hebben op de brug gebalanceerd. En ik ben in bad geweest.'

'En we hebben ook gezoend, of iets wat erop lijkt.'

Jomar lacht hardop.

'Nee. Dát noem ik niet zoenen. Bovendien telt het niet mee, als je het met de ander doet.'

'Wat is dat nou voor een stomme regel?' Ik snuif. Het ging er juist om dat we het samen zouden doen.

'Oké, daar zit wat in. Maar voor zoenen zoek je toch maar iemand an-ders.'

'Ik hoef niet per se met jou te zoenen, als je dat misschien denkt. Maar ik kreeg de indruk dat jíj dat wel wilde.'

'Ik wil je niet misbruiken, Julie.'

'Als hier iemand iemand anders misbruikt, dan ben ík het wel. En jij hebt nu niets aan, dus kijk jij maar uit!'

Ik hoor kleine bubbeltjes uit het water opborrelen. Ligt hij weer onder water?

Opeens pakt hij mijn pols vast, hij knijpt, het doet pijn.

'Ik vind je érg leuk.'

Zijn stem is hard, verbeten, als een dreigement. 'Maar we kunnen niet samen zijn, snap je dat?'

Ik trek mijn arm terug, maar hij blijft me vasthouden.

'Ik heb geen interesse,' zeg ik, maar het komt er zachtjes uit en heel treurig.

Hij verslapt zijn greep.

'Goed,' zegt hij.

Ik sta zo snel op dat het me gaat duizelen. Ik moet me aan de wasbak vasthouden, even blijven staan. Een golf van misselijkheid stroomt door me heen, ik voel de tequilasmaak prikken in mijn keel.

Mijn mobiel gaat. Ik hoor hem trillen in de kamer.

'Ja, dat was ik bijna vergeten,' zegt hij en zijn stem klinkt nu heel gewoon, nonchalant en warm. 'Je moeder belde nog.'

Mijn hart bonkt.

'Heb je opgenomen?'

'Ik liet hem overgaan en stuurde haar een sms'je. Dan hoeft ze zich geen zorgen te maken of de politie te bellen of zo.'

'Wat schreef je precies?'

'Dat je bezig was, maar dat je haar zou bellen als je tijd had.'

Ik haast me door de gang de woonkamer in, probeer te luisteren waar mijn mobiel ligt. Hij stopt voordat ik weet waar hij is. Ik loop naar de tafel, strijk er met mijn hand overheen en voel hem. Ik laat het nummer hardop zeggen. Het is mijn moeder niet, het begint met 063. Het kámp. Shit! Als ze mijn moeder bellen, ben ik er geweest.

Vlug zoek ik haar nummer op, ik druk zo snel dat ik er niet zeker van ben of ik het juiste nummer te pakken heb. Het kraakt in mijn oor. Als het maar niet in gesprek is, dan is ze met het kamp aan het bellen...

'Kom op, stomme telefoon, ga dan over!'

Eindelijk: *brr-brr*, klinkt het ver weg. Ik houd mijn adem in, voel de misselijkheid weer opkomen en probeer na te denken welke dag het ook al weer is. Dinsdag? Woensdag? Wat is er eigenlijk vandaag gepland? Kajakken, klimmen? Of kon je vandaag allerlei verschillende dingen doen?

'Dag meisje,' zegt mijn moeder vrolijk en opgewonden. Om haar heen hoor ik schreeuwende kinderen, geplons in een zwembad. 'Hoe is het met je?'

Alles is oké, ze heeft de kampleiding niet gesproken, ik kan weer normaal ademhalen.

'Prima!' zeg ik iets te overdreven, ze zou argwaan kunnen krijgen, want ze weet wat ik er vorig jaar van vond.

'Nou, leuk!' zegt mijn moeder en ze neemt een slok, slurpt. 'Wat hebben jullie vandaag gedaan?'

'Geklommen,' zeg ik en ik voel mijn wangen branden. Ze heeft een kopie van het programma bij zich, als ze er maar niet naar kijkt en ziet dat er iets anders staat.

'Durfde je dat nu wel?'

'Yes!'

Misschien klonk ik wel iets te zelfverzekerd.

'In het begin was het best eng,' zeg ik. 'Maar toen ik eenmaal was begonnen, was het hartstikke leuk.'

'Wat leuk, lieverd! Is het weer goed tussen Tuva en jou?'

'Ja. En er is een nieuwe jongen bij gekomen.'

'Een jongen?'

'Ja, we zien hem af en toe, Tuva en ik en een paar anderen.'

'Hoe heet hij dan?'

'Jomar. Hij is erg bijziend. Houdt van lezen en muziek luisteren, en hij speelt hobo.'

'Hobo?'

Dat was een beetje dom.

'Ja!' zeg ik geïrriteerd, alsof dat de gewoonste zaak van de wereld was. 'Hé, we gaan zo quad rijden, ik moet gaan.'

'Ga je dit jaar alles proberen?'

'Ja.'

'Je krijgt de groetjes van papa. Veel plezier, lieverd!'

Jomar is zich aan het aankleden als ik weer bij de badkamer kom, het water klokt in het afvoerputje.

'Ik vraag me af of je iets voor me wil doen,' informeer ik.

'Tuurlijk!' zegt hij nonchalant.

Ik vertel hem wat hij moet zeggen en vraag hem een donkere stem op te zetten. Toets het 063-nummer in en overhandig hem de mobiel.

'Hallo, met de vader van Julie,' zegt Jomar, en ik bedenk me dat ik heb vergeten te zeggen hoe mijn vader heet.

'Ik zag dat jullie hebben gebeld,' zegt Jomar. Hij is hier goed in: hij klinkt joviaal en prettig, als een vader.

In de mobiel hoor ik de stem van Trine Lise, ik bedoel het mens.

'Ik wilde alleen weten hoe het met Julie gaat,' zegt ze. 'Gaat het beter?'

'Nee,' zegt Jomar. 'Ze moet veel overgeven. Voelt zich erg misselijk, vooral vannacht. Ze voelde zich gisteravond wel wat beter, toen was ze vrij opgewekt.'

Ik hoor aan zijn stem dat hij naar me grijnst, hij denkt aan de tequila.

'Maar nu is ze helemaal op, arm kind. Helemaal op.'

'En moeders is ook ziek geworden,' fluister ik.

'En moeders is ook ziek geworden,' herhaalt hij, en ik heb er de smoor in: hij is haar man, hij zou haar geen moeders noemen. Maar er is iets met die toon van hem, hij zegt het zo natuurlijk. En het mens merkt er niets van, ze zegt oei en ach, en wenst ons veel beterschap.

Dan gaat de deurbel in de gang, ik schrik me wild. Ik loop in de richting van het geluid, maar stop. Eigenlijk ben ik er niet. Ik kan niet opendoen.

'Dank u wel,' zegt Jomar. 'Dag!'

Er wordt opnieuw aangebeld.

'Moet je niet opendoen?' vraagt hij.

'Nee.'

Nu gaat mijn mobiel ook nog eens. Wat een irritant geschreeuw: 'inkomend gesprek Silje'.

'O nee,' zeg ik. 'Dat bijbeltrutje weer!'

Jomar drukt de telefoon in mijn hand, hij trilt zo opdringerig. Ik neem op en heb meteen spijt: ik had hem gewoon kunnen laten gaan.

'Hallo?' zeg ik.

'Met Silje, ben je thuis?'

'Ja, maar ik sta op het punt de deur uit te gaan, er wordt aangebeld...'

'Dat ben ik.'

Shit!

Jomar tikt me op mijn schouder.

'Ik ga ervandoor.'

'Wacht!' fluister ik.
'Is híj dat?' vraagt Silje.
'Het komt nu niet zo goed uit, Silje.'
Maar Silje dringt aan:
'Ik moet met je praten. Alsjeblieft!'
Jomar, vanuit de gang:
'Doei!'

Return of the Jesus

Silje zit op de bank van haar thee te slurpen. Ik zit in de fauteuil en drink water. Het Old Spice-luchtje is nu verdwenen. De misselijkheid niet. Telkens als ik me beweeg, kraakt het leer van de stoel en bonst mijn hoofd.

'Ik hoop niet dat je kwam om me te verlossen,' zeg ik. 'Want dan moet ik je teleurstellen.'

'Ik wilde je gewoon zien,' zegt Silje. 'Is hij blijven slapen?'

Bemoei je met je eigen zaken, denk ik. Maar in plaats daarvan tover ik mijn breedste grijns op mijn lippen.

'Ja!'

'Sliep hij hier op de bank?'

'Nee, in het grote bed, wat denk je dan. We hadden wat ruimte nodig.'

'Waarom ligt het dekbed hier dan?'

Aha. Er ligt een dekbed op de bank. Moet het grote dekbed van mijn vader en moeder zijn. Jomar moet het hebben gehaald.

'Omdat...'

Ik probeer iets slims te bedenken.

'We hebben het hier gedaan,' zeg ik luid. 'De tweede keer. Voor de afwisseling.'

Ze is ontdaan, ik hoor haar mond openvallen.

'Je hebt de gordijnen toch wel dichtgedaan?'

'Hij doet het graag bij middernachtzon.'

'Stel je voor dat je buren je hebben gezien.'

'We lagen natuurlijk wel onder het dekbed... Maar de derde keer heeft niemand ons gezien. Toen stonden we namelijk onder de douche.'

Ze slikt. Haar mok komt met een knal op tafel terecht.

'Wat?' zegt ze.

Ze zegt niets. Heel lang niet. Ik ben zo moe, geeuw. Ik geeuw nog een keer om haar duidelijk te maken dat ik vind dat ik mijn tijd verdoe, ze heeft toch niets interessants te melden. Maar ook dat heeft geen zin.

'Ja?' vraag ik tot slot. 'Wou je iets zeggen?'

'Is het... lekker?'

Ik heb zin om te gaan lachen. Heel hard. Het bijbeltrutje is nieuwsgierig, ze wil ook de schunnige details. De lach borrelt in mijn maag. Maar ik blijf kalm.

'Ja,' zeg ik resoluut. 'Het is waanzinnig lekker. Ga je het ook doen?'

'Ben je gek? Het was gewoon een vraag. Ik vroeg me gewoon af...'

Ik zucht vol medelijden.

'Jammer dat je niet gelooft in seks voor het huwelijk. Je weet niet wat je mist. Het is... alsof je in de hemel bent.'

'De hemel?' vraag Silje wantrouwend. 'Maar de eerste keer doet het toch zeer?'

'Nee hoor, dat is gewoon propaganda. Van het bijbelgenootschap of zo. De eerste keer is eigenlijk het lekkerst. Omdat je nog maagd bent.'

'Bloed je dan niet?'

Ik haal mijn schouders op.

'Ik heb geen bloed gezien.'

Ze lacht voorzichtig. Blaast in haar thee, nipt eraan.

'Eh... hoe moet het eigenlijk?'

Ik voel het in mijn buik, klem mijn tanden op elkaar, het enige wat eruit komt is een nerveus lachje.

'Nou, als meisje hoef je alleen te liggen. Dan stopt hij hem erin en dan doe je het. Fluitje van een cent. Weet je zeker dat je het niet wilt proberen?'

'Ja... In ieder geval niet voordat ik getrouwd ben, dan moet je wel.'

Haar stem is veranderd, de toon is vriendelijker, een beetje ondeugend.

'Het is toch fijn om er iets van te weten,' zegt ze.

Ik kan me niet inhouden:

'Dus je weet wél wat je mist?'

Silje zucht geërgerd.

'Zo ongeveer,' mompelt ze.

Ik zeg niets. En Silje zegt ook niets. Zij drinkt thee. Ik drink water. En Silje zucht.

'Wat zullen je ouders zeggen als ze te horen krijgen dat je niet op het kamp bent?'

'Ga je klikken dan?'
'Waarom zou ik?'
'Je bent toch christelijk?'
'En wat bedoel je daarmee?'
'Gij zult niet liegen.'
'Ik ben christelijk, maar ik ben ook je vriendin.'
Ze zet haar mok hard op tafel en een pijnlijke warmte neemt bezit van mijn wangen. Mijn vriendin? Ik schaam me. Ik heb haar voor de gek gehouden. In mijn vuistje uit zitten lachen. En de vorige keer... Ik had haar evengoed naar de hel kunnen wensen. En toch zit ze hier en noemt ze me haar vriendin.

Ze is dom, of ik heb mazzel. Onverdiend veel mazzel.

Ze staat op.

'Ga je weg?'

'Ik moet even naar de wc,' verzucht ze. 'Ik ben zo terug.'

'Nou, doei,' antwoord ik automatisch.

Silje gniffelt.

'Nu klink je weer als jezelf.'

Ik weet niet of dat goed of slecht is.

Ze is snel terug.

'Mag ik een foto van hem zien?'

De bank kraakt zachtjes als ze gaat zitten.

Ik probeer iets ondeugends te bedenken. Niet de naaktfoto's, bijvoorbeeld. Maar ik probeer weer normaal te doen, ze verdient het dat ik nu aardig tegen haar doe. Ik zoek mijn mobiel, zoek de foto's en schuif mijn mobiel over de tafel.

'Blader er maar doorheen, dan vind je hem vanzelf.'

'Zit je in een nachtclub?'

Haar stem klinkt alsof ze onder de indruk is, maar ook onthutst. Ik probeer niet verlegen, maar ook niet opschepperig over te komen: 'Ja.'

'Heb je ook gedronken?'

'Een beetje.'

'Ben je dronken geworden?'

'Een beetje...'

Ze zoekt op mijn mobiel.

'Hé, er staan geen foto's van hem op.'

'Je moet even doorbladeren.'

'Dat heb ik gedaan, er is iemand die zijn hand voor de camera houdt. En dan is er een bijna zwarte foto...'

'Maar voor die van mij? Dan zijn er twee foto's van hem.'

'Hij houdt zijn hand voor zijn gezicht, ik kan hem daar niet goed op zien.'

'Maar hij heeft het nog gecheckt...'

'Verder zijn het alleen oude foto's...'

Ik denk terug aan dat moment, ga na of ik het nog weet: jawel, ik vroeg hem naar de foto te kijken, hij zéí dat hij hem had gezien, hij griste de telefoon uit mijn handen, en keek ernaar. Hij zei dat die was gelukt.

'Ik geloof je wel,' zegt Silje. 'Want ik zag dat er zwarte haren in de badkuip lagen.'

Maar ik kan maar aan één ding denken: hij wilde niet dat ik een foto van hem maakte. Hij hield zijn hand ervoor, met opzet. Hij wil niet dat ik weet hoe hij eruitziet.

Onrust

Er is iets. Hij verbergt iets.

We kunnen niet samen zijn, snap je dat?

Wat bedoelde hij daarmee? Is hij een psychopaat of zo? Een junkie? Of misschien is hij gewoon een Arabier? Of zou hij zwart zijn? Alsof mij dat iets uit zou maken.

'Ziet die hand er bruin uit?' vraag ik Silje.

We hebben de foto's overgezet naar de computer zodat ze ze beter kan bekijken.

'Nee, hij is helemaal bleek, maar de flits is fel, het is lastig te zien.'

'En die andere foto dan? Zie je daar iets? Is hij dik, hoe ziet zijn haar eruit?'

'Die is bijna helemaal zwart, ik zie alleen wat lichte vlekken en iets glimmends. Dat kunnen zijn ogen zijn.'

'Kijk eens goed,' zeg ik. 'Je moet toch íéts zien!'

'Julie, relax! Misschien heeft hij... zijn uiterlijk gewoon niet mee. Maar dat zal jou toch een zorg zijn, als jij het leuk met hem hebt en zo...'

Het klopt gewoon niet. Hij kan toch niet zo lelijk zijn, hij lijkt zo aardig. De manier waarop hij praat, de manier waarop hij reageert, zo zelfverzekerd, zo grappig.

Maar hij werd boos, zo ineens, uit het niets. Ik voel zijn greep om mijn pols nog. En hij verdween zodra Silje kwam. Alsof hij haar absoluut niet wilde ontmoeten. Omdat hij niet wilde dat ik te weten zou komen hoe hij eruitziet?

'Ik voel me niet zo lekker na gisteren,' zeg ik. 'Denk dat ik even moet gaan liggen.'

Zodra Silje de deur uit is, doe ik de balkondeur op slot. Ik loop een rondje door alle kamers, sta stil, luister. Voel aan de stoelen, tik met de stok tegen het bed, sla eronder.

Ik open de kast van mijn moeder en moet om mezelf lachen. Ik ben helemaal paranoïde. Waarom zou hij zich moeten verstoppen? In de kast van mijn moeder, ha ha!

Hij wilde niet op de foto. Dat is alles. Het kan zelfs een geintje zijn geweest. Misschien moet hij wel hard lachen als ik het hem vertel.

Mijn mobiel trilt in mijn zak, neuriet de berichtentoon en zegt: 'Nieuw bericht'. Ik zoek het sms'je op, houd de telefoon aan mijn oor en luister het bericht af. Het komt van een nummer dat ik niet heb opgeslagen, misschien is het van hem, misschien heeft hij zijn mobieltje gevonden.

'Tomas, AK & Bianca kmn, proberen bier te scoren. Jij nog iets nodig? Geld? Kleren? Anything mate! A.'

Ik ken helemaal geen Bianca of AK, en de enige Tomas die ik ken, is een *weirdo.*

Hij moet verkeerd verzonden zijn.

Of Jomar kan hem hebben gebruikt.

Ik check de verzonden items. Het laatste sms'je is naar mijn moeder gestuurd terwijl ik lag te slapen: 'Alles goed hier, ben nu bezig, bel je later. Hou van je!'

Hou van je? Dat zou ik nooit naar mijn moeder schrijven. Niet meer in ieder geval. Maar ik vind het wel leuk, merk ik, het maakt Jomar leuker dat hij zoiets naar zijn moeder zou schrijven.

Het voorlaatste sms'je is het bericht dat ik zelf al eerder aan mijn moeder stuurde.

Jomar heeft de telefoon niet gebruikt, of hij heeft het bericht meteen gewist.

Ik check ook de gekozen nummers, maar vóór het o63-nummer staat er alleen een hele rij met mama's.

Ik zit in de keuken pizza te eten als ik hem hoor rommelen op het balkon. Ik kauw even niet meer, maar luister. Het gebonk komt van de scheidingsmuur. Geschraap, en een bonk: hij komt neer op het balkon. De planken kraken onder zijn gewicht, hij stopt, klopt op het raam, twee keer.

Ik blijf zitten. Hij kan me vanaf het balkon niet zien, ik kan doen alsof ik niet thuis ben.

Hij klopt weer, maar nu harder.

Als hij gemene plannen had gehad, had hij het vannacht kunnen doen. Hij had me uit kunnen kleden en kunnen doen wat hij wilde.

Hij klopt weer, nog harder, ruwer. Of misschien vurig. Om mij weer te zien.

Ik wacht nog even af, maar hij klopt niet meer. Zijn voetstappen kraken op de houten vloer, hij gaat weg.

Ik haast me, strompel door de kamer en bons op het raam dat hij niet weg moet gaan, ik adem zo hard dat ik niet hoor of hij er nog is. Maar ik speel dat ik de superheld uit die film ben, dat ik een soort radar heb, dat ik weet dat hij er is. Ik doe de deur open en ruik een vleugje van zijn geur: tabak, aftershave, hém.

'Kom binnen...'

Hij loopt langs me heen, zijn bovenbeen strijkt langs het mijne.

De leren fauteuil kraakt als hij gaat zitten.

'Heb je de lijst gecheckt?' vraagt hij.

'Nee.'

'Ik heb er wat nieuwe punten op gezet.'

Ik loop naar hem toe, blijf vlak voor hem stil staan.

'En ik heb de foto's gecheckt.'

'Wat?'

'Die van gisteren. Die ik van je heb gemaakt.'

'En, zijn ze leuk?'

Hij plaagt me nu, hij zegt het met een grappige ondertoon. En nu snap ik het: hij deed het voor de lol.

'Ja,' zeg ik. 'Er was een foto van een heel leuke hand. En een van een héél donkere jongen. Zo donker dat je z'n ogen niet eens kon zien.'

'O,' zegt hij, zogenaamd verrast.

'Waarom wil je niet dat ik foto's van je maak, Jomar Bertelsen?'

'Misschien ben ik wel verlegen.'

'Misschien moet ik het toch aan je moeder vragen.'

Hij snuift, of grinnikt, ik weet het niet goed.

'Zij is niet objectief, dat heb je zelf gezegd.'

'Dan moet ik maar aanbellen om te vragen of ik een foto van je mag, dan kan Silje me vertellen hoe je eruitziet.'

'Dat lijkt me geen goed idee, ze is ziek hoor.'

Zijn stem klinkt gemaakt, alsof hij zijn best doet om vriendelijk over te komen.

'Haal die lijst eens,' zegt hij geïrriteerd. 'Dan kunnen we aan de slag...'

Hij wil er niet over praten. Er is iets wat hij verbergt.

'Wat heeft ze eigenlijk?' vraag ik.

'Kanker,' zegt hij hard. 'Haal die lijst nou maar!'

Kanker

Kánker. Ze heeft kanker. Ik bloos tot aan mijn oren.
Dat verklaart alles. Dat hij niet wilde dat ik mee naar binnen ging. Dat
hij bij haar moet zijn. Dat hij opeens vertrekt. Naar haar toe.
En ik maar denken dat hij me niet leuk vindt.
'Oei.'
Ik weet niet wat ik moet zeggen en durf niet te vragen wat ik denk: gaat
ze…
Mijn mond is droog, ik slik, probeer iets te zeggen, maar mijn stem ha-
pert, ik fluister:
'Ik ga de lijst halen.'

Trygve somt de punten op, maar wordt overstemd door het geluid van de
inkjetprinter. Ik print het ook uit op de brailleprinter en check de nieuwe
punten met de brailleleesregel:
Dansen op het kerkhof
Naaktzwemmen
Ervandoor gaan
Een huivering loopt over mijn rug. Kerkhof, naakt, kanker, ervandoor
gaan. Het is menens. Misschien gaat ze echt dood.
'Je hebt zwemkleding en een handdoek nodig,' zegt hij met die hese,
rustige stem van hem. Hij staat ergens bij de deur. Hij moet daar zijn gaan
staan terwijl de printer bezig was.
Ik voel een druk op mijn borst, maar ik slik, hij mag ook wel eens wat
lol maken, blij zijn.
'We hebben toch geen zwemkleding nodig als we naakt gaan zwem-
men,' zeg ik.
'Ik denk niet dat je in je blootje wilt zwemmen waar we vandaag naar-

toe gaan. En misschien moeten we ook wat te eten meenemen. We blijven wel even weg. Doet je fiets het nog?'

Ik houd me vast aan de bagagedrager, zo nu en dan bonst mijn hoofd tegen zijn rug aan, ik laat mijn benen hangen. De rugzak drukt tegen mijn rug aan, we hebben verse broodjes bij ons, we moeten veel broodjes mee, zei hij, héél véél. Ik heb smeerkaas, frisdrank en chips bij me. Een badpak en handdoeken, een voor hem en een voor mij. En ik heb ondergoed mee, deodorant en oogdruppels, en een schoon T-shirt voor het geval dat we zo ver weg zijn dat we ergens moeten overnachten.

Misschien komt het wel door zijn moeder dat hij mij ontwijkt en dat hij niet wil zoenen en zo. Want hij lijkt me wel aardig te vinden, hij komt terug, en eigenlijk had hij naar zijn werk moeten gaan, toch? Maar ik snap het best dat hij rustig aan wil doen, met die zieke moeder en zo. Ik moet er gewoon voor hem zijn, me niet opdringen, hem een kans geven erover te praten, en dan…

We hebben al een behoorlijk eind gefietst als hij een grindpad op draait en ik achterop begin te hobbelen. De geur van bos tintelt in mijn neus, de takken zwiepen tegen mijn voeten aan. We fietsen een heuveltje op en ik voel dat het open om ons heen is. Ik strek mijn hoofd ver uit, zit niet meer in de luwte van zijn rug. Een frisse, vochtige lucht komt me tegemoet, het ruikt naar zeewier.

Jomar stopt en vraagt me af te stappen. Hij leidt me over het hobbelige grindpad, zegt dat er verderop wat rotsblokken zijn waar we kunnen gaan zitten. Ik heb geen hulp nodig, maar laat me toch door hem naar een vlak rotsblok leiden, ik laat hem mijn hand vasthouden totdat ik stevig zit. Ik hoor kinderen schreeuwen, het geluid van mensen die badmintonnen en de zee die wild klotst. De zon brandt op mijn wangen en voorhoofd, maar er staat een koude bries, te koud om te zwemmen. Toch trek ik mijn trui uit en ik trek mijn topje wat omlaag zodat het goed zit. Met een rechte rug ga ik met mijn gezicht in de zon zitten. Mijn zonnebril zit nu goed, ik wed dat de anderen hun ogen ook achter grote, donkere brillenglazen verbergen.

Jomar opent een fles frisdrank en ploft naast me neer, hij ruikt bezweet. Hij is nog moe van het fietsen. Hij giet de frisdrank naar binnen en geeft me ruw de fles. 'Wil jij ook?'

'Welk punt op de lijst is dit eigenlijk?' vraag ik en ik zet de grote fles aan mijn lippen. 'Als we niet in ons nakie gaan zwemmen?'

'Wacht maar af,' zegt hij.

'Dat wordt lastig.'

Jomar pakt de fles uit mijn hand en drinkt wat. Hij ademt nu rustiger.

'Nemen we een tattoo? Gaan we autorijden? Je kunt me toch een hint geven...'

'Geniet nou maar van de zon. En verheug je er maar op. Je vindt het vast leuk.'

Ik schuif mijn been een klein beetje in de richting van Jomar, maar niet ver, er is nog steeds ruimte tussen ons. Ik schuif iets bij hem vandaan, doe alsof ik een comfortabelere houding zoek, trek een gek gezicht en schuif helemaal naar hem toe. Er prikt een scherpe rand van de steen in mijn achterste, maar ik laat me zakken. Het is fijn dicht bij hem te zijn. Hij beweegt een beetje, als hij maar niet opschuift. Ik haast me hem een schouderklopje te geven, als een maatje.

'Jomar!' zeg ik. 'Vertel eens wat over een film!'

'Een film?'

'Als we dan toch moeten wachten.'

Ik voel dat hij tegen me aan leunt, maar snel buigt hij weer voorover. Hij maakt een pakje sigaretten open. Ik adem de lucht van tabak in, hij komt met zijn schouder tegen me aan terwijl hij er eentje opsteekt.

'Ik heb veel aan die film gedacht waar ik je over vertelde. *Daredevil*.'

'Over die blinde superheld?'

'Ik herinner me nog wat. Ik weet niet precies meer wat ik je heb verteld, maar toen hij klein was kwam hij erachter dat zijn vader eigenlijk voor de maffia werkte.'

'Dat herinner ik me niet meer...'

'Maar ik vertelde je dat hij een kerel in elkaar sloeg, en dat de jongen overstuur was, toch?'

'Ja.'

'Toen de jongen blind werd, kwam zijn vader tot bezinning. Hij werd een harde, eerlijke werker, stopte met de maffiapraktijken, begon weer te boksen en won een hoop wedstrijden. Maar toen werd hij vermoord, door de maffia, omdat hij weigerde een wedstrijd te verliezen die door hen was opgezet. Op dat moment besloot de jongen Daredevil te worden. Hij zou het voor de zwakken opnemen en schurken vangen. En dat deed hij, elke nacht. En toch kwamen er steeds meer criminelen bij en werd de wereld steeds slechter. Hij begon te piekeren: was het een grap? Hij vond het niet leuk te zien dat hij zelf veranderde als hij ermee doorging. Dat hij steeds gewelddadiger werd en de slechteriken steeds harder en gemener aanpakte. En het enige doel was eigenlijk om degenen te pakken te krijgen die zijn vader om zeep hadden geholpen: om wraak te nemen. Hij begon te twijfelen: was hij eigenlijk zelf een haar beter dan die schurken?'

'Hoe bedoel je? Het waren toch moordenaars, dieven, verkrachters en zo? Hij was toch een van de goeden?'

'Ja, maar hij gebruikte geweld en doodde zelfs een keer iemand. De enige manier om van de slechteriken te winnen was om gemener dan zij te zijn.'

'Dus alles ging naar de klote? Alle goeden stierven en hij kon het niet meer opbrengen? 'We're all going to hell'?'

'Nee hoor, het is een Hollywood-film.'

Hij praat nu sneller, alsof hij haast heeft:

'Maar iedereen begrijpt dat hij toch door moest gaan met die gemene methoden, mensen in elkaar rammen, geweld gebruiken, dat er slachtoffers zouden vallen...'

Hij haalt adem.

'Hé, eh...'

'Ja?'

'Nu zijn ze er.'

'Wie dan?'

'Degenen met wie je gaat zoenen.'

Ze? Ik probeer niet te laten merken dat ik geschrokken ben. Mijn hart slaat over. Er zit iets in mijn maag wat goed en vervelend aanvoelt, het steekt en het kriebelt.

Ik zet een verwachtingsvolle, maar ondeugende stem op.

'Met z'n hoevelen zijn ze?'

'Vier.'

'Vier?!' zeg ik geschrokken.

'Eentje heet Bianca.'

Zoenen

Ze zijn met een heel groepje, ze komen naar ons toe, een kakofonie van harde, lachende jongensstemmen met tussendoor een schelle meisjesstem. Er rinkelen wat flessen, ze gaan dicht om ons heen staan, vormen een muur, en er klinkt een 'hoi!' en 'hoe is-ie?' en 'hoe gaat het?'.

Dat laatste komt van het meisje, Bianca. Ze komt op ons af, haar voet schopt tegen de mijne en ik voel dat ze zich over Jomar heen buigt en hem omhelst. Haar haar wappert tegen mijn gezicht aan, ze ruikt naar shampoo en haar haar is nog vochtig. Zij is voor hem onder de douche gegaan. Zou ze zijn vriendinnetje zijn? Zei hij daarom: 'Eentje heet Bianca?' Om mij een hint te geven?

Bianca was een van de namen in het sms'je. Dan zal een van die anderen wel Tomas zijn. De andere namen herinner ik me niet.

'Dus jij bent Julie?' zegt een geforceerd coole jongensstem, hij klinkt zelfverzekerd, glad, probeert te flirten. Normaal gesproken haat ik zulke jongens. Maar nu staat er een naar shampoo ruikende Bianca over Jomar heen gebogen.

'Ja, dat ben ik!' zeg ik hard en ik houd mijn hand omhoog. Ik krijg een slap handje. Softie.

'Ahmed hier!' zegt hij, en het lijkt alsof hij vergeet de coole toon vast te houden, er floept iets enthousiasts, kinderlijks uit. De A van Ahmed, het sms'je was van hem, toch? Nu ruik ik ook zijn luchtje, zwaar en vol kruiden, hij heeft er te veel van op.

Hij stelt de anderen aan me voor: Alf Kristian, die hem onderbreekt met een barse: 'AK!', drukt me stevig de hand. Hij ruikt naar shag. Tomas ruikt bezweet en geeft me kort een hand zonder iets te zeggen. En Bianca hoor ik haar stem extra leuk en zacht maken, zij praat veel lichter en vrolijker dan toen ze met Jomar stond te praten: 'Bianca hier, gezellig!'

Misschien is het toeval of verbeeld ik het me, maar wanneer ze me een hand geeft, voelt het alsof ze er met haar duim overheen wrijft. Als een liefkozend gebaar.

'Tomas, kom maar op met al dat lekkers!' zegt Ahmed, en de flessen rinkelen, en iemand, Ahmed misschien, drukt me een lauwe fles in mijn hand. Ik merk dat ze om me heen gaan zitten en dat Bianca bij mij op de steen komt zitten.

'Ik zal hem even voor je openmaken,' zegt Ahmed en hij grist de fles weer uit mijn hand. Plop. Ik krijg de fles terug, zet hem aan mijn lippen, en ik voel weerstand in mijn maag van de bittere geur. Maar ik drink, ik ben mijn nieuwe ik en die moet ergens tegen kunnen, en Ahmed die heel zeker is blijven staan, slaat zijn fles tegen de mijne aan.

'Je hebt helemaal niet verteld dat Julie zo... *hot* is,' zegt hij.

Ik voel me opgelaten, maar ben tegelijkertijd blij. Hot. Ik?

'Hij wilde haar gewoon voor zichzelf houden,' zegt Bianca lachend, en ik kan niet helemaal opmaken of ze nu Jomar of mij in de maling neemt. De anderen lachen, Jomar ook.

'Nee,' zegt Ahmed en hij klakt met zijn tong. 'Zullen we?'

Ik voel dat mijn schouders zich aanspannen, steken in mijn onderrug. Bianca drukt haar been harder tegen me aan, ik weet niet of ik dat wel zo fijn vind.

'Ik ben er klaar voor!' zegt een jongensstem, dat moet AK zijn, en ik huiver, voel de rillingen over mijn rug lopen. Nu gaat deze hele groep mij dus zoenen? Tegelijk? Of om de beurt?

'Hallo!' zegt Bianca. 'Niet zo ongeduldig. We moeten toch eerst in de stemming komen. Julie kent ons niet eens!'

Dank je, denk ik en ik voel een last van mijn schouders vallen. Maar ik mag nu geen zwakte tonen, moet mijn hoofd en mijn humeur hooghouden.

'Proost!' zeg ik hard, mijn stem hapert. Ik zwaai de fles naar Bianca. Kloenk, antwoordt haar fles. Ik drink, het bier smaakt ranzig, de koolzuur prikt.

Jomar legt zijn hand op mijn knie. Hij buigt zich naar me toe, ik voel de tabaksgeur tegen mijn oor, zijn stoppeltjes raken bijna mijn oorlel.

'Toen ik in de eerste zat, hadden we een klassenfeest,' fluistert hij. 'We speelden *Doen, durven of de waarheid*. Ik moest alle meiden kussen, in het donker. Ik voelde me de koning te rijk. Maar het hoeft niet, als je niet wilt.'

Ze staan allemaal aan jouw kant, denk ik, maar ik knik, probeer aan de gedachte te wennen: zoenen met Ahmed en Tomas en AK, en zelfs Bianca. Het is een beetje opwindend, mijn maag vindt dat ook. Het is een belevenis, zoals een pretpark. Julie de Queen of the World zou het leuk kunnen gaan vinden.

'Ik ben van de partij!' zeg ik. 'Maar jij moet ook meedoen!'

Jomar glimlacht. 'Wil je dat ik met Ahmed en AK en de rest ga zoenen?'

Ahmed lacht rauw. '*No way!*'

'Je moet een van de jongens zijn met wie ik het doe.'

'Ik denk niet dat dat zo handig is, Julie.'

'Jij moet ook alle punten doen, weet je nog?'

'We hebben het hier al eerder over gehad...'

Hij heeft nu die harde, boze stem opgezet. 'Je weet toch hoe het zit.'

'Je doet mee, of ik ga weg. Nú.'

'Eh...' onderbreekt Ahmed. 'Jómar...?'

Hij legt een vreemde klemtoon op Jómar, iemand grinnikt.

'Ken jij die jongen daar niet?'

Jomar draait zich van me af, om te kijken denk ik.

'Die met de frisbee,' zegt Ahmed.

Bianca lacht jolig.

'Dat is toch Erik Eikel!' zegt ze.

Ik moet lachen. Erik Eikel.

'Doe alsof je hem niet hebt gezien.'

Jomar praat zachter, draait zich weer naar me om, ik voel zijn adem tegen mijn gezicht.

'Wie is Erik Eikel?' vraag ik.

'Gewoon iemand die ik ken, heb geen zin om nu met hem te praten. Zullen we beginnen?'

'Waarom noemen jullie hem Erik Eikel?'

Jomar antwoordt niet.

'We beginnen nu,' zegt hij streng. 'Zullen we lootjes trekken om de volgorde?'

Bianca buigt zich naar me toe.

'Hij heet Erik Eikelenboom. En het is een eikel,' zegt ze.

'Een grote eikel,' beaamt AK grinnikend.

Iemand anders lacht zachtjes. Tomas?

'Wie neem je als eerste?' vraagt Jomar hard, ongeduldig.

'Jou,' zeg ik.

'Ik doe niet mee, heb ik gezegd.'

Ik ga staan.

'Dan ga ik,' zeg ik. 'En roep ik Erik Eikel.'

Ahmed schatert het uit. 'Wauw man, ze houdt van je!'

'Erik!' zeg ik hard.

'Kappen!' zegt Jomar.

'Erik!' roep ik. 'Erik Ei...'

Jomar slaat zijn hand voor mijn mond en knijpt me in mijn schouder met de andere hand.

'Sst!' sist hij. 'Het is al goed. Maar ik bepaal de volgorde, oké? Je mag niet weten wie wie is.'

Zijn nagels boren zich in mijn schouder, zijn hand drukt zo hard tegen mijn lippen dat mijn tanden zeer doen. Maar ik blijf kalm, heel kalm. Het komt door zijn moeder, en door Erik Eikel. Hij is gestrest, door mij, ik had niet zo moeten roepen.

Ik leg mijn hand op zijn hand die op mijn schouder ligt, geef hem een vriendschappelijk klopje.

'Het is goed zo,' knik ik.

Het is zover

Ze doen hun best om me in de war te brengen. Bianca deelt kauwgom uit, zodat ik hen niet aan hun geur kan herkennen. Ik hoor een spray sissen en ruik iets wat op haarspray lijkt. Ze trekken hun jas uit en ruilen ze om. Ahmed lacht hardop, iemand sust hem grinnikend.

'Laten we naar een beschutte plek gaan,' zegt Jomar. 'Dáár.'

Iemand schuift zijn arm onder de mijne, maar het is niet Jomar, het is Bianca, ik hoor het aan haar adem en voel het aan haar haren die tegen mijn wang aan wapperen. Aan de andere kant glijdt er zachtjes een dunne arm onder mijn arm, en de geur van de haarspray wordt verdrongen door een sterke mannengeur, Ahmed. Ik word weggeleid, weg van het strand met de stenen naar een harde ondergrond, over het gras naar een plek tussen de struiken en bomen. Bianca zegt dat ik op een dikke tak kan gaan zitten, omdat er hier een boom is met takken die bijna op de grond hangen.

'Ga er maar eens lekker voor liggen,' zegt Ahmed.

'Lekker voor líggen?' Bianca lacht. 'Je hoeft haar alleen maar te zoenen, Ahmed!'

'Alleen zoenen?' roept Ahmed uit, hij klinkt verbaasd. 'Dat had je niet gezegd, Jomar...'

Weer spreekt hij Jomars naam grinnikend uit, alsof hij er de spot mee drijft.

'Sorry, maar Ahmed komt uit een iets andere cultuur,' zegt AK. 'Hij denkt dat alle Noorse meisjes alleen maar op één ding uit zijn.'

'Misschien heeft hij wel gelijk,' zeg ik.

'*Oh yes, baby!*' juicht Ahmed. '*I love you!*'

Ik ga zitten, de harde boom wiebelt wat heen en weer.

'Oké,' zeg ik zo normaal als ik kan. 'Ga maar in de rij staan! Vijftig kronen per kus!'

Ze lachen, ze vinden me grappig. De boom buigt door, iemand gaat naast me op de tak zitten, en ik voel me gespannen, als een boog. Nú. Het is Ahmed. Zijn luchtje en de snelle ademhaling verraden hem. Hij komt meteen ter zake, en hij doet het snel. Hij duwt mijn lippen open en steekt zijn tong direct naar binnen. Hij is superlang. Superdik. Hij draait zware rondjes in mijn mond, als een dekbed in een wasmachine. Af en toe komt mijn tong iets nats en zachts tegen onder zijn tong dat aan een mossel doet denken. En zijn tong wordt steeds drukker. Na een poosje duw ik hem van me af en bedank hem voor de moeite.

De volgende is zwaarder dan Ahmed, de boom buigt verder door en ik glijd een stukje naar beneden. Er hangt een wolk van haarspray die de geur probeert te verdoezelen, maar toch ruik ik de geur van zweet en tabak die van AK kan zijn. Ik hoef niet bang te zijn. Hij nipt en zuigt voorzichtig aan mijn mond en duwt zijn tong niet ver in mijn keel, zijn tong glijdt er gewoon in, het lijkt wel alsof die wat rondkijkt, hij trekt zich dan weer terug en bijt zachtjes op mijn lippen. Zijn stoppels schuren tegen mijn kin, maar eigenlijk voelt dat best lekker, het kietelt een beetje.

Ik weet niet precies wie de volgende is, misschien Bianca, want er zijn geen schurende stoppeltjes of sterke lichaamsgeuren, alleen heel veel kauwgom, een beetje haarspray en een flinke dosis crème. Zij raakt mijn lippen voorzichtig en zacht, ze raakt me alleen aan, maar ik tril van opwinding. Geleidelijk aan nipt ze steeds harder aan me, zo nu en dan kietelt ze me licht met het puntje van haar tong. Ik ontdooi, sta ervoor open, doe mee. Zij wordt actiever, zoent heftiger, gaat verder naar binnen. Maar ze is steeds terughoudend, dringt zichzelf niet op en eet me ook niet op. En ik doe hetzelfde als zij: smak, proef, geniet.

Na afloop overweeg ik serieus om lesbisch te worden.

De vierde persoon is precies het tegenovergestelde, hij heeft gebarsten, dikke lippen die eerst droog zijn en een beetje vies, maar als zijn lippen vochtiger zijn geworden, wordt het beter, oké in ieder geval. Zijn tong draait beschaafd rondjes in mijn mond, hij lijkt een beetje verlegen. Tomas dus. Er hangt een bijzondere, iets zoetige zweetlucht die tegen de haarspray vecht, ik houd van die lucht.

De vijfde is weer AK, en dat zit me niet lekker, waar is Jomar in godsnaam? Maar AK doet het deze keer nog beter, alsof hij nu een goede warming-up heeft gehad. Hij doet het met zo'n kracht en toewijding dat ik gewoon zin heb om me te laten meesleuren, en dat doe ik dan ook, maar na een poosje wordt het eentonig, het zijn telkens weer dezelfde ronddraaiende bewegingen, en ik denk aan Jomar, die rotzak, hij zal er niet onderuit komen! Ik duw AK van me af en ga staan.

'Jomar?' zeg ik hardop.

Iemand houdt zijn lach in.

'Wat is er?' klinkt het een eind verderop.

'Kom hier!' zeg ik.

Ahmed lacht. 'Ze vond jou het beste, man. Ze wil je weer. Vuile mazzelaar.'

Ik hoor iemand langzaam door het gras schuifelen, takken die kraken, hij gaat voor me staan, haalt diep adem.

'Ja?'

Hij staat een eindje bij me vandaan, een meter of twee. Ik loop op hem af en trap hem op zijn tenen, merk ik. Ik stap iets naar achteren, wuif het weg met een lachje. Zoek op de tast zijn armen, de stof van zijn jasje voelt glad aan, ik vind zijn schouders, pak ze beet. Ik maak me lang, mijn neus stoot tegen iets hards aan, zijn kin. Hij staat stokstijf stil, beweegt niet. Hij ademt zwaar en langzaam. Misschien zou ik het niet moeten doen, misschien wil hij het niet.

Maar ik wil het wél.

Ik zoek zijn mond, maar het is alsof hij geen lippen heeft, of hij ze hard op elkaar perst, ze samenknijpt. Opeens raak ik iets, iets kouds en hards, van metaal. Een piercing. De rillingen lopen over mijn rug. Hij heeft een ring door zijn lip!

Ik hap naar de ring, trek er voorzichtig aan, voel dat die meegeeft, open mijn mond een stukje. Ik trek zijn mond in mijn richting en pak zijn lip met de ring. Ik voel een warme adem op me, hij komt iets dichterbij, heeft zijn mond zo wijd open dat ik zijn tanden tussen zijn lippen voel. Ik lik aan zijn bovenlip, bijt er zachtjes in, hij is hard aan de buitenkant, maar zacht en glad van binnen. Nu antwoordt hij, voorzichtig hapt hij in mijn onderlip, ik voel zijn tong nauwelijks. Zijn mond wordt steviger, hij zoent met meer aandacht, en daarachter komt de tong, voorzichtig, die me kietelt. Hij houdt me vast, we glijden in elkaar. Iemand fluit, *fiet-fieuw*, vast Ahmed. Ik ga er helemaal in op, ben helemaal opgeslokt, merk alleen een zacht geruis van de struiken en denk: nu gaan ze, ze laten ons met rust, we zijn nu alleen.

Maar dan verstijft zijn tong. Hij trekt hem terug, duwt me van zich af. Achter me zegt iemand 'Is dit een orgie of zo?'

Het is een nieuwe stem. Een lichte, nasale jongensstem, hij lijkt van iemand die volwassen probeert te klinken. Maar zijn stem slaat over en wordt zeurderig.

'Mag ik ook meedoen?'

Erik Eikel. Dat moet hem wel zijn. Hij klinkt als een ondeugend, klein rotjoch.

'Wegwezen!' sist Jomar, er komen wat spuugdruppels op mijn wang terecht. Hij loopt langs me heen, ik hoor een bonk en een kreun.

Erik Eikel lacht honend.

'Je krijgt de groeten van Chris,' zegt hij.

'Ik zei wegwezen!'

'Hij vraagt overal naar je. Rijdt rond, is op zoek naar je. Hij wil graag even met je praten, weet je.'

Snelle voetstappen, geritsel in de struiken, dof gebonk. Zijn ze elkaar aan het duwen? Slaan ze elkaar? Erik Eikel maakt een kreunend geluid, alsof hij iets vasthoudt, ergens tegenaan duwt.

'Rustig aan!' zegt Bianca. Ze staat er een eindje vandaan.

'Wat gebeurt er?' vraag ik. 'Zijn ze weg?'

'Hij heeft hem gewoon meegenomen,' zegt Ahmed bijna kalm, alsof Jomar zoiets elke dag doet: iemand meenemen. 'Hij gaat het even afmaken.'

'Hoezo, even afmaken? Wat bedoel je?'

'Hij gaat hem echt niet in elkaar slaan.'

Bianca snuift.

'Dat zou niet echt slim zijn.'

'Wat is er met die Chris?' vraag ik. 'Wat wil hij van Jomar?'

'Dat moet je maar aan je vriendje vragen,' zegt Bianca.

'Ze zijn op dit moment niet echt vrienden van elkaar,' zegt Ahmed. 'Heb je zin in een biertje?'

Ik schud van nee, probeer te luisteren of ik Jomar hoor.

'Kunnen jullie zien wat er gebeurt?' vraag ik.

'Sorry,' zegt Bianca. 'Er staan bomen voor.'

'Hij heeft een fiets gepakt,' zegt AK.

Bianca zucht geïrriteerd, ze wil duidelijk niet dat AK er iets over zegt.

'Erik Eikel?' vraag ik.

'Jomar,' zegt AK. 'Hij gaat geloof ik weg.'

'Met Erik Eikel?'

'Nee, Eikel is aan het bellen.'

'Kom,' zegt Bianca. 'Laten we gaan.'

Ze doen weer hun eigen jas aan. Ahmed en AK pakken mij allebei bij de arm, ze leiden me tussen zich in. Bianca en Tomas lopen voorop, het gekraak van hun haastige voetstappen verdwijnt steeds verder voor ons uit. De rugzak drukt zwaar. De broodjes zijn onaangeroerd, de flesjes ongeopend. Het slipje en de deo probeer ik maar te vergeten. Ik hoor de golven aan de rechterkant klotsen, en denk daar liever aan: daar hoorde ik ze ook toen Jomar en ik aankwamen, dus we lopen nu de verkeerde kant op.

'Ik kan beter eerst mijn fiets pakken, dat is de andere kant op.'

Ik probeer ze met me mee te trekken, maar ze stribbelen tegen.

'Volgens mij heeft Jomar die meegenomen,' zegt AK. 'Een rode mountainbike?'

'Ja, die is van mij.'

Ze brengen me naar de weg, ik moet hoe dan ook een taxi zien te regelen.

'Zijn jullie een bende, of zo?' vraag ik en ik hoor dat het wel erg kinderachtig klinkt: een bende, of zo?

Ahmed lacht hinnikend.

'Ja, zoiets…'

'En Chris en Erik zijn jullie vijanden?'

Ze moeten hard lachen.

'Hoor je dat, AK,' zegt Ahmed. 'Ze denkt dat we de B-gangsters uit Oslo zijn!'

'Zó'n soort gang zijn we nu ook weer niet,' zegt AK. 'We zijn vríénden. Chris Hansen en Erik Eikel, die zijn lid van zo'n bende.'

'Echte gangsters,' zegt Ahmed.

Mijn nekspieren spannen zich aan. In een reflex draai ik mijn hoofd half naar achteren, alsof ik moet opvangen waar Jomar zich bevindt, of het goed met hem gaat. Maar Jomar nam die Erik Eikel mee. Jomar bedreigde Erik, niet omgekeerd.

'En Jomar dan?' vraag ik.

Ze antwoorden niet. Ik houd mijn adem in, krakende voetstappen op het grind. Het geruis van de golven wordt zachter, we lopen nu omhoog.

'Hij is net als wij,' zegt Ahmed. 'Toch, AK?'

'Hm hm.'

'Heet hij écht Jomar?'

'Ja,' zegt Ahmed snel. 'Waar woon je, en hoe ben je eigenlijk van plan thuis te komen?

Nacht

Het wordt een dure taxirit. Ik heb bijna al het tegoed op mijn vervoerskaart gebruikt.

De lucht is afgekoeld, ik merk het meteen zodra ik de autodeur open. Een windvlaag waait langs mijn hals, zo mijn topje in. Ik hijs de rugzak over mijn ene schouder, hij is zwaar en slingert heen en weer als ik over het geasfalteerde pad naar de voordeur loop. De taxi rijdt weg, het zachte gebrom van de motor verdwijnt om de hoek, maar er volgt nog meer gebrom: zwaar en wat hees. Er gaat een autodeur open. Zachtjes, alsof iemand probeert stil te doen. Ik ga wat harder lopen, het is vast gewoon iemand die hier woont, niets om me zorgen over te maken. Ik strompel over het asfalt, de rugzak drukt in mijn zij. Ik loop snel naar het metalen rooster voor de deur en zoek de deurklink. Achter me schuifelt er iemand over het asfalt, zachtjes, slenterend, hij komt hiernaartoe.

Ik haal de sleutelbos uit mijn zak, zoek de sleutel met het plasticje erover terwijl ik met de andere hand het slot probeer te vinden. Ik tril een beetje, maar krijg de sleutel in het gat. De voetstappen achter me komen nu dichterbij, zo'n zeven, acht meter achter me, ik draai de sleutel om, trek aan de deur, haast me naar binnen en trek hem achter me dicht, de dranger houdt hem tegen, maar ik geef een ruk. Hij klikt dicht, ik rammel eraan, hij is in het slot gevallen.

De deur is van glas, hij kan me zien. En wie het dan ook is: hij mag niet zien dat ik bang ben. Ik loop naar de brievenbussen, niemand checkt of hij post heeft als hij denkt dat-ie achterna gezeten wordt. Ik vind onze brievenbus en haal de juiste sleutel tevoorschijn. Probeer te luisteren of ik buiten nog iets hoor, maar ik hoor alleen maar de holle echo's van mijn eigen bewegingen en mijn adem die als een gek tekeergaat.

Ik schuifel naar voren totdat ik de trap raak, pak de leuning en haast me naar boven. De echo van mijn voetstappen weerkaatst tegen de muur. Misschien staat hij naar me te kijken, misschien wacht hij tot anderen thuiskomen zodat hij naar binnen kan glippen. Maar nu is het avond, bijna nacht, niet veel bewoners komen hier zo laat thuis.

Avond, nacht. Iedereen slaapt, ik ben alleen. Ik krijg de rillingen, ik loop snel de trap op.

Binnen, thuis. Ik gooi de deur dicht. Haal de telefoon van de deurintercom eraf, druk de knop in en luister wat er op straat gebeurt. Buitengeluiden, gezoem. Verder is het er volledig stil, nacht. Ik hoor hem niet, geen ademhaling, geen stappen, geen bewegingen. En geen draaiende motor.

Ik zuig de lucht van mijn moeder, mijn vader en het huis in me op. Voel zweetdruppels op mijn voorhoofd, mijn hart bonkt en gaat vreselijk tekeer.

Het is niet zeker of hij me volgde. Misschien was het gewoon iemand die toevallig hier moest zijn, maar zag dat ik bang was en daarom wachtte tot ik weg was.

Maar ik hoor geen geluiden uit de hal.

Misschien staat hij nog buiten, houdt hij zijn adem in, wacht hij.

Ik loop de kamer in en denk aan Chris Hansen. Hij heeft rondgereden en overal naar Jomar gezocht. Het moet belangrijk zijn. Is Jomar hem geld schuldig? Heeft Jomar iets van hem gejat?

Ik loop tegen de balkondeur aan, zoek de deurklink en haal hem van het slot, open de deur op een kiertje. Luister. Alleen het verre geraas van auto's op de grote weg, en schietgeluiden en geschreeuw van de tv van een appartement hier ergens boven.

'Jomar?' fluister ik. Ik wacht, de nacht is stil, iedereen slaapt.

Ik sluip het balkon op en strijk met mijn hand langs de scheidingsmuur, mijn vingertoppen schuren over het ruwe hout. Op de plek waar de muur naar beneden loopt, steek ik mijn hoofd omhoog en fluister over de rand:

'Jomar, ben je daar?'

Er waait een wind door de boomtoppen, de bladeren ritselen onrustig.

Ik loop snel naar binnen, doe de deur op slot.

Chris Hansen. Hij zit achter Jomar aan. Ik hoorde het, net als in een film: Jomar wild trappend op de pedalen, op de hielen gezeten door een auto die gas geeft en naast hem komt rijden.

Of misschien zit hij of iemand anders in die auto voor de deur. Chris Hansen, Erik Eikel of wie dan ook. Misschien zitten ze in de auto te wachten. Tot Jomar thuiskomt.

Ik loop naar de gang, leg mijn oor tegen de deur, niets. Haal de intercom van de haak. De wind ruist in de bomen. Verder is het stil.

Ik vouw de stok uit, handig om iets te hebben waarmee je je kunt verdedigen, voor het geval dat. Ik doe de deur van het slot en loop de hal in, het geluid van mijn voetstappen echoot heen en weer tussen de muren, ik voel de deurmat van Jomar onder mijn sokken, zoek de deurbel, schud de zenuwen van me af.

Ik vroeg me gewoon af of Jomar thuis is, ga ik zeggen. En als hij niet thuis is, ga ik zijn moeder vragen of hij me even belt als hij thuiskomt. Als hij tenminste thuis komt.

Ik luister of ik binnen geluiden hoor, maar het is er stil. Zoek de bel, en al ben ik nóg zo goed voorbereid en druk ik heel voorzichtig, toch schrik ik van het geluid. Leg mijn oor bijna tegen de deur aan, hoor alleen mijn hartslag die tekeer gaat.

Als je kanker hebt, slaap je vast heel diep.

Ik draai me om naar de hal: niets.

Hij is nog buiten. Die arme rotzak.

Gebroken

Ik word vroeg wakker, de onrust knaagt aan me. Mijn hoofd en mijn lichaam voelen zwaar, ik zou door moeten slapen. Maar ik ben onrustig: zou Jomar al thuis zijn?

Ik strompel uit bed, mijn spieren zijn stijf. Loop naar de muur, zoek een stukje waar er geen foto's of posters hangen en klop.

Als zijn moeder maar niet hier vlak achter ligt.

Ik klop nog een keer.

Er strijkt een koude windvlaag langs mijn benen, het raam staat open, het ruikt naar regen.

Ik zoek het nummer op van het sms'je dat ik van Ahmed kreeg, en vraag: 'Heb je iets van Jomar gehoord?'

Het antwoord komt als ik me aan het aankleden ben.

'Nop. Het was gezellig ;) Wordt vervolgd...'

'Ja ja.' zeg ik hardop en ik stop de mobiel in mijn zak.

Ik ga naar de hal, bel aan bij Jomar. Deze keer ben ik opeens compleet rustig vanbinnen. Ik bel opnieuw aan, wacht. Bel nog een keer aan, houd mijn adem in en leg mijn oor tegen de deur. Niets. Zijn moeder moet wel heel erg ziek zijn dat ze op bed ligt en niet eens de kracht heeft om te roepen. Of ze slaapt heel diep.

Ik trek mijn regenjas en gympen aan, neem de stok mee en loop door de kamer. Open de balkondeur en luister naar de regen die buiten tikt. Ik roep Jomar zachtjes, maar ik weet dat hij er niet is. Ik loop het balkon op, naar de afscheiding. De regendruppels sijpelen over mijn gezicht. Ik ga op de tast naar de plek waar de balustrade overgaat in de scheidingsmuur, houd me goed vast en zet mijn voet goed neer. Zet af, zwaai mijn been erover en land op het balkon van Jomar, ik sta wat wiebelig voordat ik mijn evenwicht weer vind.

Ik sta te luisteren, probeer te horen of er iemand in de buurt is, iemand die me kan zien. De regen tikt op mijn jas, er vallen kleine druppels op mijn hoofd. Ik vouw de stok uit, zwaai er een rondje mee, loop rustig naar voren. Hij stoot tegen iets hards aan, een poot van een stoel, een tafel? Ik loop eromheen, loop voorzichtig door, raak weer iets hards met de stok, de muur misschien, voel met mijn hand, mijn vingers raken iets hards en kouds: het raam. De deur moet iets naar rechts zijn. Ik laat mijn vingers over het raam glijden tot ik de deurpost voel en ik reken uit waar ik moet kloppen om het glas van de deur te raken. Maar wanneer ik klop, is het raam weg en sla ik met mijn vuist door de lucht, ik haal mijn vingers open aan het glas, ze doen zeer.

Gebroken, het raam is gebroken. Mijn vingers branden, het prikt overal, ik voel mijn hartslag kloppen in de open wonden. Een inbraak, dat is het, ze hebben hem te pakken willen nemen, misschien zijn ze er nog. Weg, ik moet hier weg, naar huis. Ik draai me om, blaas op mijn hand, druk mijn lippen erop en voel iets nats, bloed, het smaakt naar ijzer. Met grote passen loop ik terug, de wond prikt enorm, ik druk mijn hand in mijn buik, de pijn is intens. Ik loop tegen een stoel aan die hard over de grond schuurt, shit, nu horen ze me! Zwaai de stok wild voor me uit, voel geen weerstand en loop door. De stok raakt iets en ik voel met mijn hand, de balustrade, ik loop in de richting van de plek waar ik erover kan. Nu is er iemand in de flat, ik hoor gekraak, iemand die loopt. Ik laat de stok los, hij hangt nu aan mijn pols, ik houd de balustrade vast, zet mijn voet stevig neer maar glijd toch uit. Ik ben mijn evenwicht kwijt en moet de andere hand ook gebruiken, de wond prikt, maar ik probeer met de bebloede hand de scheidingsmuur vast te pakken. Als ik beet heb, snijdt de pijn diep. De deur gaat open, de scharnieren piepen.

'Julie?'

Hij is het. De fluisterende, hese stem, ik zit overdwars, draai me naar hem om. Hij komt op me af, met snelle passen.

'Je bloedt,' zegt hij. Hij is bijna bij me, ik voel hem, ik ken die geur van zijn adem, van tabak. De regen valt in kleine druppels op mijn haar. De wond, ik moet het bloeden stelpen, ik spring eraf, op ons balkon, maar hij pakt mijn hand, houdt mijn pols stevig vast, houdt hem omhoog.

'Wacht, ik help je!'

Hij trekt een pleister over de snee van mijn vinger, strakker zelfs dan bij de eerste twee vingers. Zijn handen zijn warm, de vreugde stroomt door mijn hand, ik wil dat hij me blijft vasthouden.

Ik zit in de fauteuil van mijn vader, hij zit voor me, op zijn knieën denk ik, hij zit in elk geval lager dan ik. Hij trekt zijn handen terug en ik merk dat ik mijn adem heb ingehouden.

Ik voel mijn hartslag in mijn vingers, drie keer tegelijk, in elke vinger één bonk.

Ik zeg:

'Denk je dat het Chris Hansen en Erik Eikel waren?'

'Huh?'

'Zitten ze je niet achterna dan?'

Met een lachje blaast hij lucht uit zijn neus.

'Ik heb dat raam gebroken.'

'Echt?'

'Ik had mijn sleutel vergeten, ik moest naar binnen.'

'Waarom kon je moeder niet gewoon opendoen?'

'Ze is opgenomen,' zegt hij, en ik ril helemaal. Opgenomen.

'Het ging niet goed met haar gisteren,' zegt hij.

Ik heb ontzettend veel medelijden met hem, ik heb zin om hem vast te houden. Ik reik met mijn hand naar zijn schouder, zijn rug, iets om te troosten, maar ik raak zijn haar, het kietelt tegen mijn handpalm. Het is dik en ongekamd, ik wil er met mijn vingers doorheen strijken, maar dat kan ik niet maken, hij zal naar achteren leunen. Ik zoek zijn schouder, geef hem een vriendschappelijk klopje.

'Gaat het?'

Mijn hand gaat omhoog en weer omlaag: hij haalt zijn schouders op.

'Weet niet. Ze is... ziek. Daarom moest ik er gisteren vandoor. Sorry trouwens!'

AK zei inderdaad: 'Hij heeft een fiets gepakt, hij gaat weg.'

'Kwam Erik Eikel dáárvoor?' vroeg ik. 'Om te zeggen dat het niet goed met haar ging?'

Jomar snuift.

'Wat weet híj er nou van?' vraagt hij kribbig. 'Erik Eikel kent mijn moeder niet eens.'

'Maar je moest opeens weg toen je met hem had staan praten, toch?'

'Ja, maar...'

Hij zucht, haalt diep adem en gaat staan, mijn hand gaat omhoog, ik trek hem terug.

'Ik heb zijn mobiel geleend om te horen hoe het ging. Want het ging al niet zo goed met haar toen ik wegging. En toen was er een verpleegster die de telefoon aannam, ze hadden al op een telefoontje van me zitten wachten, maar ik ben dus mijn mobiel kwijt. Dus ik heb gewoon die fiets gepakt en ben direct naar het ziekenhuis gegaan. Hij staat trouwens achter in de tuin, ik kan hem wel even op slot zetten als je dat wilt?'

Ik schud mijn hoofd.

'Krijgt ze zo'n... transplantatie?'

'Nee.'

'Moet dat nog?'

'Heeft ze al gehad.'

Gehad.

Gehad?

'Dus ze...?'

'Ja.'

Hij antwoordt zo snel en toonloos dat ik niet weet wat hij eigenlijk heeft gezegd. Dat ze doodgaat? Dat ze weer beter wordt? Dat ze het niet weten?

'Waar heb je die lijst?'

Zijn stem klinkt licht en vrolijk, alsof er niets aan de hand is.

'Die zit denk ik in mijn rugzak.'

Twee krassen met een pen, hij streept iets door. Hij leest de punten voor, tattoo, naaktzwemmen, maar ik neem niets op, mijn oren branden, ik denk aan zijn moeder, dat ze nu in het ziekenhuis ligt. Ik hoor die hartmeter al, piep, piep. En de beademing die staat te pompen en te puffen.

Hij heeft niets over zijn vader verteld. Zijn ze alleen met z'n tweeën?

'Zijn je ouders gescheiden?' vraag ik, en nu hoor ik dat hij nog steeds praat, dat hij iets mompelt over eten wat we zelf willen. Hij onderbreekt zichzelf:

'Hé,' zegt hij. 'Zullen we wat gaan eten? In een restaurant. Ik trakteer!'

Hij hoorde me wel, maar hij wíl gewoon niet antwoorden.

Ik moet mijn strategie veranderen. Er op een andere manier achter zien te komen.

'Duurt het nog lang voordat jij achttien wordt?'

Hij gniffelt.

'Mag je niet uit met jongens van boven de achttien?'

'Misschien wil ik wel niet uit met jongens van onder de achttien. Hoe lang nog voor je achttien bent, Jomar Bertelsen?'

'Nou, ik ben in ieder geval niet strafbaar, maar ik ben ook nog niet zo oud dat ik straf krijg als ik het met een meisje van jouw leeftijd doe.'

'Zestien dus?'

'Heb je trek in een hamburger?'

Naar bed

Voorzichtig neem ik een hap, alleen maar brood. De sesamzaadjes schuren tegen mijn gehemelte en blijven plakken.

'Zeg maar als ik onder de ketchup zit,' zeg ik.

'Hoe bedoel je?' zegt Jomar met een volle mond. 'Hoort dat niet dan?'

Ik schiet in de lach. Voor alle zekerheid veeg ik mijn mond af met de servet.

'Ik plaag je alleen maar!' zegt hij. Zijn hamburgerpapiertje kraakt.

Ik hoor het rumoer van stemmen en jengelende baby's in het winkelcentrum.

Ik heb zin om door te vragen over de kanker. Welk type. De prognoses. Maar ik wil niet dat hij boos wordt. Of verdrietig. Het is net zo gezellig.

'Heb je nog wat in het boek gelezen?' vraag ik.

'Dat pornoboek? Nee, dat ligt nog bij jou, het...'

'O echt? Maar misschien heb je er wel aan gedacht?'

'Tja... Misschien aan een paar plaatjes...'

Ik schuif de hamburger naar binnen en neem een grote hap. Kauw met mijn mond dicht, veeg met het servet mijn mond af.

'Vertel!'

'Geen commentaar.'

Ik glimlach.

'Toch niet aan dat plaatje van die engel die naar beneden vliegt en de tieten van het meisje vastpakt?'

'Dat is ook een mooi plaatje.'

Zijn stem is futloos, alsof hij opeens verdrietig is. Hij klinkt boos, ongeduldig.

'Maar...'

'Kom,' zegt hij, gestrest, nukkig. Hij staat op.

'Wat is er?'

Er klotst iets in zijn jas, hij trekt hem aan.

'Kom!'

'Komt er iemand aan?'

Ik draai met mijn hoofd om het beter te kunnen horen, maar ik hoor alleen hetzelfde geruis van voetstappen en stemmen.

'Nee hoor!' zegt hij en hij lacht hard, maar het klinkt onecht, een beetje driftig. 'We gaan gewoon wat braafs doen, neem je eten maar mee!'

Ik houd de burger en de beker met frisdrank tegen mijn buik, de stok zit opgevouwen in mijn zak. Jomar trekt me mee, ongeduldig aan mijn mouw rukkend.

'Hier naar binnen!' zegt hij overdreven opgewonden. 'Dit wordt echt leuk.'

De geluiden van de binnenstad ebben weg en we betreden een zaak met een vloerkleed, onze stappen hoor je niet.

'Kan ik jullie ergens mee helpen?' vraagt een lichte mannenstem.

'We komen wat meubels bekijken,' zegt Jomar.

'Ja, wat zoek je precies?'

'Van alles, we hebben een heel huis!'

'Is dat zo?'

De man klinkt bozer, argwanend.

'Als jullie hulp nodig hebben, dan hoor ik het wel,' verzucht hij.

Jomar lacht even, ik hoor hem een stoel verschuiven, hij zegt dat ik moet gaan zitten.

'Nu zijn we in de keuken,' zegt hij lachend. 'We zijn net uit ons werk en zitten te eten.'

'Zijn we zogenaamd getrouwd dan?' vraag ik en ik haal mijn burger uit het papiertje.

Hij zit te kauwen, praat met een volle mond:

'Al jaren. Hoe was het op werk, liefje?'

'Een heel gedoe,' zeg ik. 'De minister van Buitenlandse Zaken maakte een hoop stampij tijdens het overleg.'

'Ben je de premier?'

'Wat denk jij dan? Ik ben de baas!'

'En heb je iets belangrijks besloten vandaag?'

'Yes. Geen gym meer op school. En alleen maar punkrock op de radio.'

'Goed gedaan, premier!'

'En jij? Hoe was jouw werkdag?'

'Een paar bad guys opgepakt. Niets nieuws.'

'Dus jij bent bij de politie?'

'Niet helemaal. Ik ben zeg maar van de Reinigingsdienst. Ik verwijder ongewenste elementen.'

'Een soort superman dus?'

'Zoiets.'

We nemen de colabekers mee naar de salon, zoals Jomar dat noemt. We ploffen neer op een harde bank die naar nieuw leer stinkt.

'We hebben natuurlijk een tv,' zegt Jomar. 'Van karton, maar goed...'

'Vinden ze ons raar?' vraag ik en ik slurp de cola op, die helemaal waterig is geworden van de ijsklontjes.

'Nee, die man die hier werkt, zit op internet te surfen.'

'Ik zet nu de tv aan,' zeg ik en ik druk zogenaamd op de knop van de afstandbediening. 'Op het filmkanaal. Wat is dit voor film?'

'Eh... Een eh... Noorse film.'

'Bah, ik zap wel even door!'

'Deze is eigenlijk best leuk. Het is ook wel iets voor jou.'

'Hmm,' zeg ik nogal onverschillig, terwijl ik eigenlijk wil dat hij gaat vertellen. 'Waar gaat die over?'

'Over een meisje van elf of twaalf. Ze heeft haar broertje verloren. En ze moet bij een tante of zo wonen. Want haar moeder is zo van de kaart dat ze echt niet meer voor d'r kan zorgen.'

Hij praat nu over zijn eigen moeder, of niet? Zijn moeder die zo ziek is dat ze niet voor hem kan zorgen. Maar zijn vader dan, waar is hij?

'En haar vader dan?' vraag ik. 'Kan hij niet voor haar zorgen?'

'Geen idee. Hij is gewoon bezig met dingen waar vaders bezig mee zijn. In ieder geval is het meisje er kapot van dat haar broer dood is. Maar ze doet alsof er niets aan de hand is in de nieuwe stad en ze houdt het geheim. Dan leert ze een jongen kennen. Ze hebben iets met elkaar, maar ze zoenen niet of zo, ze zijn nog maar elf, dus ze spelen nog gewoon, doen dingen, praten. Een keer als ze gaan zwemmen kijken ze elkaar in de ogen onder water. Dat is... bijzonder.'

'Net zoals toen Daredevil Elektra in de regen zag?'

'Ja... ja, zoiets. Op het einde keert het meisje weer terug naar het huis van haar ouders. Haar moeder zit depri in de tuin, met een kleed over zich heen getrokken, ze is ver weg, denkt waarschijnlijk aan haar zoontje. Het meisje zegt tegen haar moeder: "Als je wilt, mag je best doodgaan." Alsof ze bedoelt: ik red me wel, aan mij hoef je niet te denken. Maar dan is het alsof de moeder ineens wakker wordt, ze beseft dat ze moet stoppen met dromen, dat ze er voor haar dochter moet zijn. Anders verliest ze haar ook nog eens.'

Hij fluistert, zijn stem is dunner geworden, schraapt hij zijn keel? Maar ik hoor het aan hem, door die piepkleine vibratie in zijn adem: hij heeft verdriet. Is zijn moeder net als de moeder in die film? En hoe zit het met dat meisje dat bevriend raakt met die jongen en hem onder water aankijkt? Zijn wij dat, Jomar en ik?

'Nee!' zegt hij opeens en hij staat op. 'We moeten maar eens naar bed! Op naar de slaapkamer!'

We testen alle bedden en nemen het zachtste. Gaan op onze rug liggen, naast elkaar. Hij is zwaarder dan ik, daarom lig ik iets meer naar zijn helft, mijn arm ligt naast de zijne, mijn voet laat ik tegen die van hem aan rusten.

'Als we nou toch getrouwd zijn,' zeg ik, 'dan moeten we het toch ook een keer doen?'

'Heb je geen hoofdpijn dan?'

'Nee hoor, kom maar op!'

'Ja, nu begin ik, ben je er klaar voor?'

'Ja.'

'Nu zijn we bezig.'

Ik lig helemaal stil, voel een lach opkomen.

'Ah, ah,' zeg ik volledig neutraal.

'Dat kun je wel zeggen,' zegt Jomar. 'Ah, ah.'

'We zijn nu klaar, toch?' vraag ik.

Jomar lacht, het bed schudt. Ik lach ook en schuif een klein beetje naar hem toe, mijn bovenbeen raakt nu dat van hem.

'Ben je nu klaar voor die tattoo?' vraagt hij.

Ik denk aan het gezoem dat ik achter in de tattoozaak hoorde, het borende geluid als bij de tandarts.

'Ja,' zeg ik.

Zijn arm rust tegen de mijne, het voelt goed. Ik doe mijn hand open, mijn pink raakt bijna iets van hem, zijn broek of trui. Ik wil graag dat hij zijn hand vlak naast me legt, me aanraakt, al is het maar met zijn pink. Me zachtjes aait, om te laten merken dat hij er is.

'Ik ken wel iemand die dat kan,' zegt hij. 'Als ik je mobiel mag lenen, kan ik zijn nummer opvragen en hem bellen.'

'Heb jij al een tattoo?'

'Wat denk je?' vraagt hij op die ondeugende, plagende manier van hem.

'Kom ik over als iemand die een tattoo heeft?'

Ik denk aan de piercing en proef de smaak van zijn mond, zijn lippen.

'Ik denk dat je er een op je arm hebt,' zeg ik. 'Een heel mooie.'

'Weet je, ze gaan nooit weg.'

Opeens klinkt hij net als mijn moeder, belerend, waarschuwend.

'Maar dat is toch ook de bedoeling?'

'Je draagt hem de rest van je leven. Als een litteken.'

'Als een kunstwerk.'

'Maar vind je nu hetzelfde mooi als vijf jaar geleden? Of tien jaar geleden?'

'Tien jaar terug zat ik op de kleuterschool.'

'Over tien jaar ben je getrouwd en heb je kinderen. Misschien krijg je een bloedhekel aan de tattoo. Mensen veranderen.'

'Wat voor tattoo heb jij dan, dat je zo boos reageert?'

'Kijk maar,' zegt hij, ik hoor de grijns.

Ik draai me naar hem om, ga dicht tegen hem aan liggen op mijn zij, houd mijn hand omhoog. 'Dat is goed!'

Het bed schommelt, hij gaat anders liggen, er komt lucht tussen ons in. Zijn jas ritselt, hij trekt hem uit, er valt iets op de grond. Het matras golft meer, ik denk dat hij ook zijn trui uittrekt, voel door de luchtverplaatsing dat hij zijn armen beweegt. Zijn luchtje en de geur van zoet zweet komt me tegemoet, ik zuig het op. Hij komt dichterbij en ik ga rechtop zitten zodat we even lang zijn. Ik voel dat hij vlak voor me zit. Hij pakt mijn hand, drukt hem op zijn huid, het ís zijn bovenarm voel ik: de huid is er zacht, glad, mijn vingers drukken zijn huid in, en daaronder is het harder, spieren, bot. Hij schuift mijn hand omhoog, mijn vingertoppen strijken over de dunne haartjes, mijn vingers zitten ingeklemd tussen de mouw van zijn T-shirt en zijn huid.

'En?' zegt hij. 'Is het wat?'

Ik probeer een patroon te ontdekken, een kras, maar de huid is glad en effen, alleen de kleine haartjes kriebelen onder mijn vingers. Toch stel ik me voor dat ik een streep heb gevonden en volg hem met mijn vinger, in een boogje. Wat is het? Een draak? Of een soort lange band?

'Hij is echt heel mooi,' zeg ik.

'Je hebt nog niet alles gezien.'

Hij legt zijn hand op die van mij, schuift me verder onder zijn t-shirt. Hij duwt mijn vingers in zijn huid, ik voel het bot en de pezen, ze zijn hard. Hij schuift mijn hand verder omhoog, over zijn schouder, naar zijn nek, de huid is hier strakker, ik voel zijn ruggengraat, hobbelig. Ik strijk in de richting van zijn nek, wrijf voorzichtig over zijn nekharen, alsof ik de tattoo onder zijn haren voel.

'Ik vind hem mooi,' zeg ik. 'Ik wil er ook een.'

'Dezelfde?'

Zijn adem kietelt in mijn neusgaten, hij ruikt naar tabak, ik zit eraan te denken of ik het moet proeven.

'Nee, eentje die van mezelf is. Helemaal van mij alleen.'

Ik teken in zijn nek, strijk licht met mijn vingertop twee boogjes die een oog vormen.

'Ik kan die Ronald wel bellen,' zegt hij. 'Maar het wordt een open wond, het gaat schrijnen. Je moet je dan elke dag met vochtige crème insmeren. En je kunt een paar dagen niet in bad.'

'Misschien moeten we dan maar eerst in ons blootje gaan zwemmen?'

'Hmm.'

Hij gaat zitten.

'Die man die hier werkt komt er nu aan. Hij ziet er boos uit, ik denk dat we moeten gaan.'

Ik krijg een ingeving. Ik ga liggen, pak hem bij zijn schouder en trek hem mee.

'Ga op me liggen,' zeg ik.

'Hier?'

'Doe nou maar!'

Ik ga plat op mijn rug liggen. Merk dat hij zich voorzichtig boven mijn borsten en buik laat zakken, maar van onderen niet helemaal, drukt zich omhoog.

'Ah, ah!' kreun ik hard.

Hij grinnikt. 'Jezus, wat doe je nou?'

'Kom hier!' fluister ik. 'Doe maar gewoon mee!'

'Hallo daar!' roept de dunne mannenstem, hij slaat helemaal over, zo boos is hij.

Jomar begint voorzichtig op me te wiegen.

'Ah, ah!' kreun ik hard.

'Ooh, ooh!' Jomar grinnikt, hij houdt het niet meer, hij proest het uit, zijn borst schudt tegen mijn borst.

'Harder!' zeg ik. 'Meer!'

Nu is de verkoper er, hij staat pal naast ons, hij is helemaal buiten adem. Jomar rolt van me af, of wordt eraf geduwd. Hij pakt me bij mijn hand en trekt me mee.

'Kom!' zegt hij.

We maken dat we wegkomen. Ik ren strompelend, half struikelend over de voeten van Jomar, die me meesleurt.

'Ik haal de bewaking erbij!' roept de verkoper.

Buiten komt het geluid van stemmen en voetstappen en gezoem me van alle kanten tegemoet, ik kan me onmogelijk oriënteren, overal is een dikke muur van mensen en geluiden. Opeens loop ik hard tegen Jomar aan, hij is gestopt.

'Ik moet even iets halen,' zegt hij. 'Wacht jij hier?'

Naakt

Ik zit op een bankje te wachten. Er lopen mensen voorbij, ik hoor stukjes van een zin, ruik vieze lichaamsgeuren en oudevrouwenparfums. Ik hoor de hakjes en het gelach van meiden die langslopen.

Er komt iemand naast me zitten. Ik hoor aan zijn ademhaling dat het een jongen is, hij ademt snel, het is net alsof hij hijgt. Jonger dan ik, denk ik. Hij zit niet zo dichtbij dat ik kan voelen hoe groot hij is, of waar hij naar ruikt.

Ik denk terug aan het moment in het café, dat Jomar opeens weg wilde. Zag hij iemand? Iemand die hem niet mocht zien? Zit die iemand nu naast me?

Dat gevoel bekruipt me. Sterker nog, ik weet het gewoon. Dat moet hem zijn. Erik Eikel, die kleine. Ik voel de spanning in mijn nek en mijn buik. Ik luister: hij zit heel stil, geeft geen kik.

Hij weet dat ik Jomar ken.

Hij zit hier te wachten tot Jomar terugkomt.

Ik ga staan, vouw de stok uit, loop weg. Probeer te horen of hij achter me aan loopt. Maar er zijn zo veel voetstappen, er is zo veel gekraak van schoenen en geruis van kleding. Ik stap door, bots tegen iemand aan, mompel sorry en loop verder. Voor me is het minder druk, de ruimte wordt opener en de automatische deuren gaan voor me open, de wind waait in mijn gezicht. Ik loop naar buiten, hoor de deuren dichtglijden, geen voetstappen achter me, ik hoor ze in elk geval niet.

Ik ga een stukje bij de ingang vandaan staan. Ik hoor de deuren nog wel open- en dichtschuiven en kan ook horen of er iemand aan komt.

Ik besluit tien minuten te blijven wachten. Er lopen mensen langs, de deuren glijden open en weer dicht. Er zijn stemmen, geuren en voetstappen, maar niemand die naar mij toe komt, niemand die dicht bij me komt staan.

Hij kan bij de ingang zijn blijven staan, achter me aan zijn gelopen. En nu wachten tot Jomar eraan komt.

Na een kwartier bel ik een taxi. Er zijn misschien twee minuten verstreken, hooguit drie, als er een auto voor me stopt, hij moet in de buurt zijn geweest. Het portier gaat open en een leuke dame met een noordelijk accent zegt dat ze me komt helpen. Ik stap de auto in, en word rustig als ik haar hand om mijn bovenarm voel.

'Was je in de buurt?' vraag ik.

'Ik stond op jullie te wachten,' grapt ze. Ik lach in een reflex, maar mijn lach verstomt weer: júllie?

De autodeur slaat dicht en op hetzelfde moment klikt de deur open aan de andere kant. Ik verstijf. Geklots, jongensadem, er gaat iemand zitten, een tas knispert. Ik zoek de handgreep, moet weg, mijn hartslag klopt in de wonden van mijn vingers.

'Ben je klaar voor het volgende punt?' vraagt Jomar.

Ik laat de handgreep los en slaak een zucht van verlichting.

'Ja.'

Hij is energiek en opgewekt, neuriet wat voor zich uit en hoopt dat ik het leuk vind, de verrassing. Ik vertel hem niets over de jongen op het bankje. Ik wil zijn goede humeur niet verpesten. Ik heb het me vast gewoon verbeeld. Maar ik moet hem wel een keer vertellen, ooit, dat hij me niet meer op die manier mag besluipen.

Jomar leent mijn mobiel en belt de man van de tattoos. Hij kan geloof ik pas morgen. Maar het heeft geen haast. Jomar heeft de naam van een school aan de chauffeur doorgegeven, ik denk dat ik weet wat we gaan doen.

Als ik uit de taxi stap, voel ik grind onder mijn voeten. De auto rijdt weg, en ik voel dat ik op een grote, open plaats ben. Het schoolplein, of de parkeerplaats.

Jomar leidt me, ik stop de stok in mijn jaszak en laat hem me leiden, loop licht en elegant, doe alsof we een stel zijn, dat we bij elkaar horen.

'Mijn moeder werkte hier vroeger,' zegt hij en hij knijpt me in mijn hand. 'Ik heb de sleutel.'

Heb de sleutel? Hoeveel mensen lopen er rond met de sleutel van het werk van hun moeder op zak?

Zou hij dit hebben gepland?

'Maar ik denk niet dat het slim is om hier gepakt te worden. Ik moet eerst even checken of alles in orde is.'

Gepákt, alsof we iets crimineels gaan doen.

Ik stop.

'Wat is er?' vraagt hij.

Ik trek een vertwijfeld gezicht.

'Rustig, Julie!' zegt hij. 'We doen niets verkeerds. We gaan alleen wat water lenen.'

Het zwembad. Naakt zwemmen. Het kriebelt in me, het prikt. Het kietelt, het jeukt.

What the heck.

Ik knik.

'*That's the spirit!*' zegt hij, en hij vraagt me de tas vast te houden.

Zijn voetstappen verdwijnen over het asfalt. Ik steek mijn hand erin, voel een paar zachte handdoeken, een plastic flesje dat shampoo zou kunnen zijn. En een zacht, synthetisch kledingstuk met schouderbandjes en een labeltje – een badpak. Hij is zo lief. Wil me niet dwingen.

Hij komt me weer halen, pakt de tas en neemt me bij de hand. We lopen een gang door die ruikt naar zure melk en schoonmaakmiddel, een trap af en een lange gang in. De chloorlucht kriebelt in mijn neus. Ik voel dat er iets voor ons is en stop. Hij laat mijn hand los, rinkelt met een sleutel, opent een deur.

'Treed binnen!' zegt hij.

Ik glip langs hem, de deur klapt achter ons dicht.

'Ik kleed me eerst om,' zegt hij. 'Daarna wacht ik op je bij het zwembad, ik heb een badpak voor je gekocht.'

'Is dat niet onrechtvaardig dan?' vraag ik en ik draai me glimlachend naar hem om. 'Ik heb jóu al in je blootje gezien...'

Hij lacht ingehouden. De tas valt op het bankje iets bij me vandaan.

Ik tast om me heen op zoek naar een muur, met mijn voet, hier staat een bankje. Ik trek de trui over mijn hoofd en houd mijn buik in.

'Ik kijk niet, dat beloof ik!' zegt hij.

Ik hoor hem zijn jas uittrekken, die klotst door de lucht en klettert op het bankje. Kledinggeruis, geklots, was dat zijn trui?

Mijn oksels zijn vochtig, ruiken zoet, niet al te zuur, maar we gaan vast eerst douchen, dan merkt hij er niets van.

Een rits, hij is al met zijn broek bezig. Ik maak mijn broeksknopen los, recht mijn rug zodat mijn buik niet zo uitpuilt, pak de broekrand en trek hem omlaag.

'Zo!'

Hij is al helemaal klaar. Ik hoor lichte voetstappen over de vloer, er gaat een douche aan, hij geeft een gil.

'Jezus, wat is dit koud!'

Ik trek alles uit, maar dan ook alles.

Recht mijn rug, ik doe gewoon alsof ik kleren aan heb, loop rechtop, glimlach. Ik vind de deurpost, luister waar hij is, hoor het water lopen, het gespat van het water dat de tegels raakt, hij heeft de eerste genomen. Ik loop langs hem, houd mijn handen iets voor me uit, weet niet of er aparte douchehokjes zijn of één grote doucheruimte.

'Hé!'

Hij spettert behoorlijk, ik voel me opgelaten, heb ik het niet goed begrepen? Heeft hij wel zijn zwembroek aan? Hij zei naaktzwemmen, dat staat op het lijstje.

Ik pers een zelfverzekerde lach tevoorschijn, houd mijn kin omhoog. Ga snel onder de douche staan, de tegels voelen nat aan, er zijn geen hokjes, het spettert van zijn douche. Mijn handen raken de muur, ik zoek de leiding, vind de doucheknop eronder, ga met mijn rug naar hem toe staan en voel mijn wangen gloeien.

'Sorry,' zegt hij en hij klinkt verdrietig, vol berouw. Ik druk op de knop, er sproeit ijskoud water over me heen.

'Ik had beloofd niet te kijken,' zegt hij. 'Maar ik kon het niet laten.'

Er gaat een warm gevoel door me heen. Ik sluit mijn ogen, het water is nu iets warmer geworden, ik laat het door mijn haren stromen en strijk het naar achteren met mijn handen.

Dan draai ik me om.

'Je mag best kijken,' zeg ik.

Shower of love

Het water in het zwembad is ijskoud, ik moet in beweging blijven, zwemmen. Ik begin te klappertanden, maar houd mijn tanden stijf op elkaar, ik moet toch iets kunnen hebben. Het water stroomt langs mijn lichaam, ik heb niets aan, hij heeft niets aan, ik voel de kleine golfjes van zijn bewegingen.

We zwemmen om het hardst, dat hebben we niet afgesproken, het ging vanzelf. Hij zwom naast me en ik ging harder zwemmen, hij volgde. Ik baan me een weg naar voren, geef alles wat ik heb, zet hard af en ik lig op kop, maar niet voor lang, hij komt naast me zwemmen, kleine golven klotsen tegen me aan. Hij glijdt voorbij. Elke keer als hij opduikt, ebt zijn ademhaling steeds verder weg, en nemen mijn slagen af in kracht. Hij blijft weg, is waarschijnlijk ondergedoken, ik hoor alleen mezelf ademen en blazen en het water om me heen klotsen. Plichtmatig zwem ik door, krachteloos. Er strijkt iets langs mijn voet, dat is hem, en er gaat een stroom door me heen, hij zit onder me! Ik laat mijn voeten drijven, zwem door met mijn armen, voel de werveling van het water tegen mijn buik, hij zit nog steeds onder me! Ik stop met zwemmen, glij nog door het water, blijf drijven. Wil hem onder me voelen, in het water zweven.

Hij raakt mijn been, glijdt langzaam langs mijn knieën en onderbenen, ik voel zijn gewicht, voel dat hij naar boven komt. Hij schiet achter me uit het water, ik krijg spetters over me heen, hij hapt naar lucht.

Ik manoeuvreer me om hem heen, schop met mijn benen om te blijven drijven, hij is nu heel dicht bij me, ik voel druppels tegen me aan komen als hij blaast.

Hij komt dichterbij, blaast rustiger, ik ken de geur van zijn mond, zijn warme adem, tabak.

Ik pak hem beet, klamp me vast aan zijn schouders, mijn voeten schoppen tegen die van hem aan, die staan stil, stijf, hij staat op de bodem. Ik voel of ik bij de bodem kan, reik zover mogelijk naar beneden met mijn voeten, maar de waterspiegel komt precies tot mijn mond, ik moet op mijn tenen staan. Ik zet af met mijn voeten, trek me op aan zijn schouders, trek mezelf naar hem toe. Mijn neus raakt iets stekeligs, stoppeltjes, ik vind zijn mond, de piercing, druk mijn mond op de zijne. Hij reageert nauwelijks, kust oppervlakkig terug, maar trekt dan zijn gezicht weg alsof hij zich ergens aan brandt.

'Sorry,' zeg ik en ik neem wat afstand. 'Ik had er zo'n zin in.'

Hij komt dichterbij en kust me kort.

'Weet je zeker dat dit wel zo slim is?' vraagt hij. Daar is die warme, broze stem weer.

'Ik ben er klaar mee altijd maar verstandige dingen te doen,' zeg ik, en ik trek me naar hem toe. Maar als ik zijn mond heb gevonden, begint hij te praten:

'Er zijn dingen die je niet weet, Julie.'

'Jij bent oké,' zeg ik. 'Dat voel ik gewoon. Zo erg kan het ook weer niet zijn.'

'En als het dat wel is?'

'Jij bent oké, Jomar, dat weet ik. Ik heb zo'n sonar, weet je, ik voel het of mensen goed zijn of niet.'

Ik duw mezelf een beetje weg, laat een hand los, pak een handvol water en gooi het over hem heen.

'Shit!' Hij lacht. 'Dacht ik net dat we serieus in gesprek waren!'

'Ik wil gewoon je grote neus eens bekijken,' zeg ik. 'Je even door de sonar laten checken, weet je.'

'Werkt dat dan?'

Ik maak een kom met mijn handen, gooi het water boven ons omhoog, voel de kleine spatjes op mijn huid en probeer hem voor me te zien, de vorm van zijn hoofd, ogen, neus, mond.

Maar alles is donker.

'Ik ben toch geen superheld,' verzucht ik.

'Maar je bent best super.'

Ik denk na. Ja, hier, nu, met jou, ja, dan wel. Súper.

'Hé...' zeg ik.

'Ja?'

'Vind je het goed als ik je neus aanraak? Om te voelen hoe je eruitziet?'

'Best.'

Ik laat hem los, laat mijn rechterhand in het water drijven.

'Daar gaan we dan, Jomar Bertelsen. Ben je er klaar voor?'

'Helemaal.'

En dan raak ik hem aan. Alleen niet zijn neus.

Mmm

Op de dikke mat in de gymzaal.
Eerst is er een grote, holle stilte in de zaal waar elk klein geluid wegsterft,
zoals een bal die wegstuitert. En de geur van oud zweet en rubberen zolen,
van volleybal en van basketball, allemaal mensen die rennen, kreunen.
Maar dan verdwijnt het allemaal, de muren komen dichterbij, en we
zijn met z'n tweeën, verder niets. Het geluid van zijn adem, mijn adem, ik
schrik eventjes, al raakt hij mij maar heel lichtjes aan. Zijn vingers fluisteren, ruisen, tasten. Ik ruik chloor en natte haren, de lucht uit zijn neus. En
iets nieuws: de zoete zweetlucht, muskachtig, anders dan al het andere dat
ik ooit heb geroken. Het gekraak van het plastic van de mat, de geur en de
warmte die opstijgt, van hem, mij, ons.

Ik word steeds weer wakker doordat hij me in mijn nek en op mijn rug
kust. Doordat hij me aanraakt, bij me komt liggen. Of misschien slaap ik
niet? Misschien lig ik te doezelen tussen al dat heerlijke wat hij bij mij en
ik bij hem doe.
Onze handdoeken liggen onder ons als een laken, onze kleren over ons
heen als een deken. Maar er is altijd een koude voet of arm die uitsteekt en
die ik weer moet opwarmen.
'Je hebt nog meer condooms bij je, toch?'
Hij zegt van wel.

Tattoo

De man van de tattoos zit op loopafstand.

Zei Jomar.

We hebben nu lang gewandeld. Hand in hand, zij aan zij. Onze vingers zijn in elkaar gestrengeld. Ik herinner me dat Silje en ik het erover hebben gehad toen we klein waren: als je verkering hebt doe je zoiets.

Ik voel me trots, gevoelig en opgewonden van binnen. *Yes!*

Ik ben de Queen of the World.

Het doet een beetje pijn daar beneden, maar het voelt ook gevoelig en goed.

En straks krijg ik een tattoo van een oog in mijn nek.

Jomar gaat een mooie voor me uitzoeken. Eentje met krullende wimpers. Licht aangezette wenkbrauwen. En een heldere blik. Die je recht aankijkt, wat er ook gebeurt.

Het gaat zeer doen. Maar Jomar zal mijn hand vasthouden. En me nooit meer loslaten. Hoe hard ik ook knijp.

'Oké, Jomar,' zeg ik. 'Nu ga ik je over een film vertellen. Het gaat over een meisje, een vrij saai meisje. Ze gaat nooit stappen, ze drinkt niet, ze is niet mooi. En 's avonds zit ze thuis bij haar ouders op de bank, ze gaat nooit uit. Ze leest gewoon of luistert naar muziek. Maakt braaf haar huiswerk. Maar op een dag vliegt er een jongen door haar raam naar binnen.

'Vliegt?' vraagt Jomar verbaasd.

'Hm hm. Hij komt achter haar staan, pakt haar om haar middel en tilt haar zo op. Mee naar buiten. En ze ontdekt dat zij ook kan vliegen als ze bij hem is.

'Klinkt een beetje als *Heroes*,' grapt Jomar. 'Dat is een jongen die zijn superkracht van anderen leent.'

'Ik weet niet of hij een superheld is, en zij weet ook niet goed wat hij is, maar zo lang als hij haar kan laten vliegen, stelt ze geen vragen.'

Opeens staat hij stil, hij laat mijn hand los.

Mijn wangen gloeien.

'Is dat raar?' vraag ik. 'Vind je dat niet leuk?'

Hij pakt me bij mijn pols en trekt me naar achteren.

'Wat is er?' vraag ik.

Hij sleept me achter zich aan, het moet een spelletje zijn, iets leuks wat hij in gedachten heeft, ik laat me meevoeren.

'Wat is er?' vraag ik.

'Kom mee!' zegt hij.

Zijn stem is keihard, hij is gestrest en fluistert hees: 'Dat vertel ik later wel.'

Ik probeer snel te lopen.

'Is het Chris Hansen of zo?' vraag ik.

'Kom!' snauwt hij.

'Niet voordat je het me vertelt!'

Hij laat me los. Snuift, een dunne straal snot raakt mijn voorhoofd.

'Luister eens,' fluistert hij verbeten, angstig. 'Er staat een auto voor het huis van Ronald. Als de eigenaar ervan mij ziet, ga ik er als een speer vandoor, en jij blijft hier, oké?'

'Van wie is de auto dan?'

Hij kreunt.

'Chris Hansen?' vraag ik.

Hij ademt een keer heel lang uit.

Ik verhef mijn stem: 'Is die auto van Chris Hansen?'

'Jezus, ja! Van Chris Hansen! En Chris Hansen heeft een heel groot mes, snap je dat?'

We stappen goed door. Mijn schouder stoot hard tegen de arm van Jomar, ik houd de stok schuin voor me, van de stoeprand af, zodat Jomar er niet over struikelt.

'Komen ze achter ons aan?' vraag ik.

'Nee,' antwoordt hij naar achteren. Hij draait zich weer om, zijn stem klinkt nu helderder: 'Ik weet niet zeker of ze ons hebben gezien, ik heb niet gekeken of ze in de auto zaten.'

Hij wil nog harder lopen, maar ik houd hem tegen, houd hem goed vast aan zijn bovenarm. Hij mag niet weglopen!

'Verdomme,' snuift Jomar. 'Die schoft wist dat ik naar Ronald ging. Hij heeft iedereen op de uitkijk gezet.'

Ik denk aan Erik Eikel gisteren op het strand, de manier waarop hij de naam Chris Hansen zei. 'Chris is overal naar je op zoek.' Alsof hij bedoelt: kijk maar uit. En toen AK Jomar zag wegfietsen, stond Erik Eikel te bellen.

'Dus Erik belde gisteren Chris op?' vraag ik. Het is vermoeiend om te praten, ik hijg bij elk woord.

'Hm hm. Kunnen we iets harder doorlopen?'

Ik doe mijn best, neem langere passen, zet harder af, maar kan niet al te hard lopen, het is gevoelig van onder, het doet zeer. We naderen een weg, er rijden auto's voorbij.

'Waarom zitten ze je eigenlijk achter je aan?'

'Ach,' blaast hij. 'Heeft met geld te maken. Hier d'r in!'

Hij trekt me mee naar rechts, ik struikel haast over zijn benen, maar heb snel weer mijn evenwicht terug. We zijn nu bij een weg aangekomen. Er scheren auto's voorbij in beide richtingen. Ze rijden aan de andere kant van Jomar, maar ik voel de zuigende werking als ze langs ons heen rijden.

'Ben je ze geld schuldig?'

Hij antwoordt niet, maar stoot met zijn arm tegen me aan, ik hoor het gekraak van zijn pakje sigaretten.

'Veel?' vraag ik.

'Best wel.'

Ik ruik tabakslucht, de nicotine prikt in mijn neus.

'Het is toch geen drugsgeld?'

Hij lacht. 'Nee hoor, gewoon geld.'

'Weet je het zeker?'

'Denk ervan wat je wilt, maar weet wel dat ik echt helemaal klaar ben met Chris Hansen en die bende van hem, ik wil niets meer met ze te maken hebben.'

Jomar trekt zich los.

'Daar komt een bus aan, snel, die pakken we!'

Ik loop snel achter hem aan en houd hem voor de zekerheid vast.

De bus hobbelt nogal, in de bocht wordt Jomar tegen me aan gedrukt. Er zitten mensen voor en achter ons, we kunnen niet praten. Niet daarover.

Ik ga tegen hem aan zitten. Het is fijn om hem te voelen, zijn arm is zo gespierd en sterk, ik wil eronder kruipen en voelen dat hij me tegen zich aan drukt. Maar hij leunt de andere kant op, hij lijkt opeens zo stug.

Hij is bang, dat is het.

Mijn ogen prikken en jeuken, ik ben zo moe, mijn lichaam is zwaar en gevoelig, ik moet even slapen.

Het heeft met geld te maken.

Drugs. Hij gaf het bijna toe. *Denk ervan wat je wilt.*

Nee, niet Jomar, zo is hij niet, hij heeft vast alleen maar wat geld geleend, en nu kan hij het niet terugbetalen.

'Kun je niet naar de politie?' fluister ik.

'Nee,' antwoordt hij meteen.

'Maar die Chris Hansen lijkt me gevaarlijk, hij heeft toch een mes?'

'Dat heb ik ook.'

Mijn bovenlichaam verkrampt helemaal. Hij heeft een mes.

Ik spring van de laatste trede van de bus en begin te lopen, mijn voeten kennen de weg.

De bus sluit de deuren achter me, ik hoor hem weer optrekken. Jomar volgt me. Hij pakt mijn hand vast, knijpt er een keer in en blijft hem stevig vasthouden. Ik laat me door hem leiden, hij kan met me meelopen tot de deur.

Mijn voeten doen zeer. Als ik straks binnen ben, kruip ik onder de wol en ga ik heel lang slapen. Straks lopen we het pleintje op voor onze flat, we moeten alleen nog het heuveltje over.

En opeens lopen de koude rillingen me over de rug. Ik denk aan de autodeur die achter me openging, de voetstappen die me achtervolgden tot de flat, de auto die stond te wachten.

'Wacht even!' fluister ik en ik geef een ruk aan zijn hand. Hij stopt.

'Wat is er?' fluistert hij ongerust.

Ik zeg: 'Je moet even rondkijken of ze hier zijn.'

'Ze weten niet waar ik woon.'

'Maar ik denk dat ik ben achtervolgd toen we van het strand terugkwamen.'

'Hè?'

'Ik hoorde een auto en voetstappen.'

'Shit!' zegt Jomar. 'Die klootzak! Wacht hier op me…'

Ik luister naar zijn voetstappen over het asfalt, zachtjes, voorzichtig. Hoor hem stoppen.

Opeens kletsen zijn schoenzolen hard op het asfalt, hij komt buiten adem aanhollen.

'Erik Eikel is hier!'

Jomar trekt aan de mouw van mijn jas en wil me met zich mee trekken, de andere kant op.

'We moeten via de achterdeur, kom!'

Hij rukt aan mijn mouw, maar ik trek me los.

'Er is geen achterom.'

'We moeten het balkon op klimmen, via de balkondeur naar binnen…'

Ik ben zo uitgeput, voel een druk achter mijn ogen, heb spierpijn.

'Ik kan echt niet meer. Ik wil naar huis, ik moet echt even liggen.'

Hij snuift teleurgesteld. 'Ik zie je zo op het balkon.'

'Nee!' zeg ik. 'Dat gaat niet, later. Ik moet eerst slapen.'

'Oké!' fluistert hij, en het geluid van zijn ademhaling en zijn bewegingen ebt weg, zijn voetstappen op het asfalt klinken daarna gedempt op het gras.

'Jomar?' fluister ik hem na. Ik weet niet of hij stopt. 'Ik wil alles weten,' zeg ik.

Het is stil, ik hoor alleen een paar vogeltjes achter me kwetteren.

Opeens hoor ik uit de tuin:

'Als je alles wist, zou je me echt haten.'

Ik hoor wat takken ritselen, het wordt stil. Hij is weg.

Binnen

Ik ken de weg op mijn duimpje, maar voor alle zekerheid houd ik de stok toch voor me. De struiken strijken langs mijn armen en ik wankel een beetje, voel dat alles zich samentrekt, mijn schouders, mijn hart en mijn maag. Erik Eikel is hier om de hoek.

Ik had met Jomar mee moeten gaan.

Wat ben ik toch vreselijk dom.

Ik ga de hoek om. Als ik de zon op mijn gezicht voel branden, weet ik dat Erik Eikel daar ergens is, op de parkeerplaats. Ik ga harder lopen en tik recht naar voren, langs de gastenparkeerplaatsen. Hij kijkt naar me, dat weet ik zeker.

Volgens mij hoor ik wat. Kleine passen.

Ik draai subtiel met mijn hoofd om het beter te kunnen horen.

Jawel: ik hoor voetstappen op het asfalt, voorzichtig, zachtjes. Opeens lopen ze harder. Ik ga ook harder lopen, probeer niet bang te lijken. Ik had mijn mobiel moeten instellen, het noodnummer moeten opzoeken, klaar om het in te drukken.

Ik blijf staan en luister. De stappen achter me gaan minder hard. Ik steek mijn hand in mijn zak om de sleutel te pakken.

Ik ben er bijna. Ineens loop ik verder, hij wacht even, maar dan begint hij ook te lopen. Langzamere passen, behoedzamer. Mijn voeten raken het metalen rooster bij de voordeur. Als ik de sleutel uit mijn zak haal, draai ik me naar hem om.

'Moet je iets van me?' vraag ik luid.

Hij staat stil, vlak achter me, op een paar meter hooguit. Ik voel gewoon dat hij dicht bij me staat. Er komt een lichte geur van rook op me af.

Hij maakt smakgeluiden en gnuift een beetje.

'Waar is hij?'

Eigenlijk is die iele babystem best zielig, belachelijk eigenlijk. En toch ril ik. Ik klem mijn hand stevig om de stok.

'Geen idee,' zeg ik scherp. Het is niet te horen dat ik bang ben, geloof ik, ik klink bits en vastberaden.

'Ben je net bij hem geweest?' vraagt Erik Eikel.

'Nee.'

'Heb je zo een afspraak met hem?'

'Speel je politieagent of zo?'

Mijn stem slaat over, is flinterdun. Ik moet mijn keel schrapen om mijn stem wat meer body te geven: 'Is dit een verhoor of zo?'

'Ha ha!' Erik Eikel lacht op een nasale, uitsloverige manier.

'Wat ben jij grappig, zeg. Als je die loverboy van je weer ziet, zeg dan maar dat hij blij mag zijn dat de politie hem niet te pakken heeft. De hele stad is naar hem op zoek. Zeg dat maar: de hele stad!'

'Doe Chris Hansen maar de groeten van me en zeg dat hij een eikel is.'

'Vertel hem dat maar zelf, hij komt zo.'

Ik voel een steek in mijn buik.

'Mijn ouders zitten te wachten,' zeg ik, maar mijn stem klinkt helemaal ontdaan. Ik draai me snel om, neem de laatste stap naar de deur en zoek op de tast het slot. Dan steek ik de sleutel erin. Ik draai hem om en trek de deur naar me toe, hij gaat zwaar.

Plotseling staat hij helemaal tegen me aan, de deur wordt opengerukt, hij heeft hem vast. Ik duw.

Hij lacht door zijn neus.

'Gek dat ze niet opendeden toen ik aanbelde.'

Mijn adem gaat sneller, ik houd de deur vast, omdat ik niet wil dat hij mee naar binnen komt, binnen ben ik verloren. Hier kan ik nog om hulp roepen.

Hij trekt aan de deur, ik houd hem tegen.

'Ik hou 'm gewoon voor je open,' zegt hij.

Hij is klein, kleiner dan ik, maar hij is sterk, dat red ik nooit.

Zijn bállen. Als hij iets probeert, schop ik hem.

Ik laat de deur los, stap opzij. Hoor de dranger als hij de deur opentrekt, ruik de geur van de gang me tegemoet komen. Ik loop snel naar de trap.

'Zorg maar dat je bij hem uit de buurt blijft,' zegt hij, hij staat nog steeds bij de deur. 'Joar is echt levensgevaarlijk!'

Ik ren de trap op, draai het slot open en loop snel naar binnen. Daarna doe ik de deur op slot. Buiten adem neem ik de intercom van de haak en luister.

Zijn voetstappen: kort, haastig. Ze gaan weg, steeds verder weg. Opeens stopt hij. Hij blijft staan, wacht.

Zei hij Joar?

Ik kan niet slapen. Mijn hoofd gonst van de stemmen en gedachten, ik heb last van mijn onderrug en buik.

In gedachten hoor ik die dronken vrouw in de stad weer: 'Je gaat toch niet met hém mee naar huis?'

En Erik Eikel die zei: 'Joar is echt levensgevaarlijk!'

De politie zit achter hem aan. Chris Hansen zal hem te pakken krijgen.

Als je alles wist, zou je me echt haten.

Jomar, Joar. Ik móét alles weten. Echt álles.

Zachtjes haal ik de balkondeur van het slot, maar hij klikt toch. Ik luister. Het is stil op zijn balkon, geen gekraak van de planken. Alleen een radio die ergens aanstaat.

De vogels fluiten, de kraaien krijsen. De lucht is warm en zit vol met de geur van pollen. Op de radio zegt iemand 'En nu sport.' Dat moet van boven komen.

Als ze hem maar niet te pakken hebben gekregen voordat hij boven was. Hem in zijn rug hebben geslagen, en in zijn maag geschopt.

Nee, dat zou ik hebben gehoord. Hij is vast omhoog geklauterd terwijl ik met Erik Eikel in de weer was.

Mijn mobiel gaat. Ik druk het geluid uit, hoor net niet wat de stem op mijn mobiel zegt, voel het getril tegen mijn bovenbeen als elektrische stroompjes. Ik pak mijn telefoon en antwoord:

'Hoi!'

Mijn stem bibbert.

'Hoi…' zegt Silje. 'Stoor ik?'

'Nee hoor. Is er iets?'

'Wil gewoon even weten hoe het gaat…'

'Super! Helemaal te gek!'

Ik heb spijt, mijn tong brandt. Dat klinkt toch voor geen meter.

'Is er wat gebeurd?' vraagt ze.

'Nee!'

Ik kan niet vriendelijker praten, mijn stem zit op slot. Ik hoor geschuif op het andere balkon, er wordt een stoel weggeschoven.

Silje zegt iets, maar ik druk de telefoon in mijn buik en draai mijn hoofd richting het raam.

Kling. Een kopje tegen een bord, hij is er weer!

Ik hang op.

Sta op het punt de deur open te schuiven, maar iets in me houdt me tegen, net als toen hij me aan mijn arm rukte en me achter zich aan sleurde.

Hij heeft een mes. *Echt levensgevaarlijk,* zei Erik Eikel.

Maar toen op de mat, zijn handen die over mijn armen streken, me over mijn haren aaiden, in mijn nek kriebelden... Gevaarlijk?

Ik schuif de deur open, de scharnieren piepen.

Maar eerst moet hij me alles vertellen.

Ik stap het balkon op.

'Jomar?'

De radio brabbelt maar door, het lokale nieuws, iets over vissen.

Ik loop het balkon op en ik meen dat ik hem aan de andere kant van de scheidingsmuur kan horen, zijn ademhaling, kleine bewegingen met zijn voeten.

'Is het gelukt?' vraag ik en ik loop naar de plek waar de muur lager wordt, de zon brandt op mijn gezicht. 'Ben je boven gekomen?'

'Heb je het tegen mij?'

Ik schrik me rot.

De stem klopt niet, veel te zwaar, veel te oud. Dat is hem niet. Dat is Hans Gjermund Kristoffersen.

De waarheid

Hans Gjermund Kristoffersen komt sloffend op me af en blijft dan staan aan de andere kant van de balustrade. Ik herken zijn geur: zweet, koffieadem, aftershave. En het dringt langzaam tot me door: de aftershave is dezelfde als die Jomar op had de eerste nacht toen hij stond waar Hans Gjermund Kristoffersen nu staat.

'Ik had het niet tegen jou, ik stond gewoon te bellen,' zeg ik en ik stop mijn hand in mijn zak, alsof ik mijn mobiel in mijn hand heb.

'O?' zegt Hans Gjermund Kristoffersen onverschillig. 'Hebben jullie iets gehoord toen ik weg was?' vraagt hij. 'Er is ingebroken.'

Scherven. De gebroken ruit waar ik mijn vingers aan openhaalde, ze doen nog steeds zeer. Ik heb die ruit kapotgemaakt. Jomars stem door de badkamermuur heen: 'I like you so much better when you're naked.' Ik krijg koude rillingen. Alles wat hij zei was één grote leugen.

'Nee,' zeg ik kortaf, het klinkt geïrriteerd en bot. Ik heb niets gehoord, zeg ik vriendelijker. Een verstikkende warmte maakt zich van mij meester.

'Misschien kun je het aan je ouders vragen,' zegt hij.

'Het lijkt alsof ze hier een tijd hebben gezeten. Ze hebben diepvriespizza's gemaakt, op de bank gelegen, gedoucht, handdoeken gebruikt.'

Handdoeken. Zijn huid, haren. Bewijs. Silje zei dat ze zijn haar in de badkuip had gezien. DNA, ze zullen hem vinden.

'Maar bijna alles staat er nog. De tv, de stereo-installatie. Ik mis alleen een paar sieraden van mijn moeder en wat geld.'

'Weet de politie al meer?'

Hij snuift.

'De politie? Weet je, zoiets staat niet boven aan hun lijstje. Ze zijn maar heel even binnen geweest. Wat foto's gemaakt, vingerafdrukken gezocht. En ik vermoed dat ze de papieren gewoon op een grote stapel op het bureau hebben gegooid.'

Hoop het, denk ik. 'Typisch!' zeg ik.

Ik blijf staan omdat ik voel dat dat nodig is. Dat hij meer te zeggen heeft. Hij ademt zwaar, die longen van hem kunnen nooit helemaal in orde zijn.

'Wat ben je groot geworden!' zegt hij opeens en hij lacht stilletjes. Er is iets met zijn stem, iets flirterends. Hij vindt me mooi.

Ik doe de balkondeur dicht, op slot. Dan denk ik aan het vreemde geschraap op het balkon die eerste nacht toen ik binnen zat en het boek ging halen. Zijn vermoeide gehijg, hij was vast van plan om over het balkon te springen, ervandoor te gaan.

Als je alles wist, zou je me echt haten.

Dacht hij aan de inbraak? Dat hij recht in mijn gezicht heeft staan liegen? Hij zei dat hij daar met zijn moeder woonde, dat zij zo ziek is, arme moeder! En dat ze nog geen internet hebben, *mag ik er even op?*

Internet.

Ik zet mijn pc aan. Het duurt een eeuwigheid, ik hoor hem zoemen. Mijn pc is niet bepaald snel. Eindelijk hoor ik het geluid dat ik kan beginnen. Ik open Internet Explorer, zoek de laatst bekeken sites op, check elke regel. Trygve noemt de www-adressen met datums, punten en slashes. Ik zoek de datum dat Jomar hier was. Hij is op *VG* geweest, op *Dagbladet*, op de site van een lokale krant.

Ik klik op een van de links van *Dagbladet*.

Trygve leest opgewekt en duidelijk: '16-jarige gezocht na steekpartij.'

'Politie maakt naam en foto bekend van de 16-jarige jongen die donderdagavond een 15-jarige medebewoner ernstige messteken toebracht in Sandbakken, het opvangcentrum voor jongeren.'

Trygve brabbelt monotoon en vrolijk verder, maar het doet pijn aan mijn oren, het klinkt als één woordenbrij, ik neem niets in me op. Steekpartij, ernstig, opvangcentrum.

Ik zet het geluid af, gebruik de brailleleesregel en spel elk woord dat ik tegenkom.

'De verdachte heet Joar Bertelsen. Hij heeft donkerbruin haar, is 1,79 meter lang en heeft een slank postuur. Hij draagt een zwarte jas en een spijkerbroek. Hij heeft een piercing door zijn lip, deelt rechercheur Kari-anne Sørgård mee. Zij vraagt mensen die de verblijfsplaats van de 16-jarige kennen zich te melden.

Donderdag om een uur of tien 's avonds ontstond er een gevecht tussen de 16-jarige en een van de andere bewoners van het opvangcentrum. Getuigen verklaren dat de 15-jarige diverse keren door een mes is geraakt. De jongen is naar het ziekenhuis gebracht en ligt nog in coma. "Hij heeft zwaar inwendig letsel opgelopen," aldus persvoorlichter Brynjulf Tangen van het academisch ziekenhuis.

De dader, Joar Bertelsen, is weggelopen uit het opvangcentrum en is sindsdien spoorloos. De jongen staat onder toezicht van de kinderbescherming en woonde in het opvangcentrum tot hij een plaats bij een pleeggezin zou krijgen.'

Ik lees het een paar keer door en klik op de andere artikelen die hij heeft bekeken. Die vertellen ongeveer hetzelfde verhaal: dat hij op de vlucht is, dat de politie niet weet waar hij zit, dat ze niet uitsluiten dat hij het land heeft verlaten. Het slachtoffer en hij hadden ruzie, maar de politie wil er uit belang van het onderzoek verder niets over loslaten.

15-jarige ligt in coma en zweeft tussen leven en dood.

Verdomme, Jomar.

Ik bedoel: Jóar.

Ik probeer wat nieuws over de zaak te vinden, check de plaatselijke krant, zoek op 'mes' en 'opvangcentrum', maar vind niets. Ik zoek het nummer van de politie op, toets het in op mijn mobiel. Maar mijn vingers ruiken nog naar chloor, ik voel de smaak van hem in mijn mond. En van onderen... is het gevoelig en steekt het.

Die jongen kan wel doodgaan. Joar kan een moordenaar worden. Een móórdenaar.

Hoe zijn hand om mijn pols kneep, het abrupte geruk, die harde stem, kei- en keihard. Zo woedend, zo krachtig.

Maar op de mat vannacht... was hij zo zacht en voorzichtig, zo lief.

Zo is hij niet. Er kan geen opzet in het spel zijn. Die jongen moet hem iets hebben aangedaan.

Ik druk het nummer weg.

Ik weet echt niet waar hij is, ik kan echt niets voor hem doen.

Het water onder de douche is heet, loeiheet. Ik wrijf me in met zeep, wrijf hard, maar de chloorlucht verdwijnt niet, die is in mijn huid getrokken.

Mijn eigen vingers waarmee ik zeep over mijn lichaam uitwrijf, zijn nu als die van hem, ik moet mezelf knijpen om niet aan hem te blijven denken. Was me goed tussen mijn benen, spoel me lang af, alles wat van hem is moet weg. Maar het is net alsof hij naar me staat te kijken, zoals onder de douche in het zwembad. En hij komt op me af, drukt zich tegen mij aan, begint me te strelen. Ik snap het niet, hij is toch gevaarlijk, ik kan iemand die zo liegt toch niet vertrouwen, maar ik wil dat hij hier is, bij me, wil hem in me voelen. Nog één keertje, maar dan moet hij gaan en nooit meer terugkomen.

In de kamer is het bloedheet en bedompt geworden, de lucht voelt alsof mijn keel wordt dichtgedrukt. Ik loop naar de deur, wil opendoen, maar bedenk me. Wat als hij daar nou staat? Ik wil niet dat hij binnenkomt, niet nu.

In plaats daarvan open ik het raam, voel of de knip er goed op zit, of hij op een klein kiertje staat. Ik luister, is hij daar? Het is stil, Hans Gjermund Kristoffersen heeft de radio uitgezet, als hij thuis is, is hij muisstil.

Opeens hoor ik hard gebonk op het balkon van Hans Gjermund, woest gestamp van zijn deur naar de balustrade.

'Hé, jij daar!' roept Hans Gjermund Kristoffersen met zijn zware stem. 'Stop!'

Ik houd mijn adem in en hoor Hans Gjermund hard en vermoeid ademen.

'Verdomme!' gromt hij. Hij loopt snel over het balkon. De stappen verdwijnen, hij is weer naar binnen.

Ik loop naar de deur, haal hem van het slot en luister. De stem van Hans Gjermund klinkt gedempt door de muren, maar hij praat zo hard, zo driftig, ik hoor hem zijn stem verheffen. Iets van 'die schoft was hier net nog, stuur maar wat agenten!'

De politie.

Ik loop terug, sluit de deur en draai hem op slot.

Mijn hart is net een vuist die me in mijn keel slaat. Mijn wangen en oren gloeien, mijn hartslag voel ik in mijn slapen kloppen en mijn keel wordt dichtgeknepen. Het is net alsof er een brok is blijven steken.

Ik denk aan mijn vader. Hij zou het aan me zien, hij zou met zijn baardstoppels even langs mijn gezicht wrijven en me vasthouden, vragen of ik nog iets wilde hebben, iets nodig had.

Ik zoek de stoel van mijn vader op, druk mijn neus tegen het leer waar hij normaal met zijn hoofd tegenaan zit, maar zijn geur is nu zo zwak geworden, bijna verdwenen.

Ik loop snel de kamer in van mijn ouders, stort me op hun bed, met mijn neus tussen de kussens. Snuif de geur van mijn vader op. Een vies luchtje. Ik haal diep adem aan mijn moeders kant, ruik het parfum en de licht zure geur van mijn moeder. Ik word verscheurd van binnen. Jezus, wat mis ik haar!

Ik pak mijn mobiel en zoek tot ik haar nummer heb, want ik móét met haar praten. Ik heb een brok in mijn keel, probeer te slikken, maar hij verdwijnt niet.

Een klik. De verbinding klinkt ver en zit vol ruis en buitenland. Ergens in het zuiden gaat er een telefoon, maar het geluid is ver en anders dan anders, ouderwets. Ze neemt niet op, hij blijft overgaan tot ik de voicemail hoor. Mijn moeders heldere en gezellige stem, vrolijk als altijd: 'Ik kan de telefoon niet opnemen, spreek een bericht in, dan bel ik u zo snel mogelijk terug.'

Pieiep.

'Hai...'

De brok in mijn keel spat uiteen, wordt een regen van brokjes. Het steekt en prikt in mijn ogen en neus.

'Met... mij... Ik weet niet...'

Ik kan het niet tegenhouden, ik houd het niet meer en barst in tranen uit. De tranen lopen me over de wangen, ik moet wel ophangen, mijn gezicht in het kussen van mijn moeder begraven, alles loslaten.

Ik huil tot mijn tranen op zijn, mijn ogen zijn dik, mijn lichaam is volledig uitgeput.

Mijn telefoon gaat. Björn Borg zegt het nummer, maar hij zit in mijn zak, met de goede kant naar beneden, ik versta het niet. Hij trilt hevig tegen mijn bovenbeen en ik draai me om en haal hem eruit. Hij zegt geen mama, mama zoals gewoonlijk, het is een nummer dat ik niet heb opgeslagen en ook niet ken.

Ik haal mijn neus op en slik mijn verdriet weg, luister of mijn ademhaling weer enigszins normaal klinkt. Dan neem ik op.

Hij ademt zwaar en snel.

'Hallo?' vraag ik.

'Met mij,' zegt hij.

Ik span mijn kaken op elkaar, mijn ogen prikken.

'Met wie?' vraag ik giftig. 'Jóar?'

Hij probeert zijn ademhaling te kalmeren. Hij heeft gerend, iemand neergestoken, is gevlucht.

'Ja...'

'Joar Bertelsen?' vraag ik. 'Die uit het opvangcentrum is gevlucht? Of ben je een heel andere Joar Bertelsen?'

'Julie, ik zal je alles uitleggen...'

Ik weet alles al, denk ik en klem mijn tanden op elkaar en wacht tot hij met een uitleg komt, een uitvlucht.

Maar hij blijft gewoon hijgen, zwaar, bevend.

'Vertel op!' zeg ik.

'Die film waar ik over vertelde,' zegt hij zachtjes. 'Die Noorse... zo gaat die eigenlijk niet.'

Ik zucht hardop.

'Nee hè...'

'Die moeder, die bleef maar in haar droomwereld. Ze was beledigd, ze werd boos. Ze bleef ontkennen dat het niet goed met haar ging.'

Ik voel een zware vermoeidheid achter mijn ogen drukken. Ik ben zo moe, ik ben op, ik kan niet meer.

'Ik ben klaar met die raadsels van jou,' zeg ik. 'Als je iets over je moeder wilt vertellen, zeg het dan gewoon!'

Hij ademt diep in, zijn ademhaling is nog steeds zwaar en snel.

'Oké,' zegt hij zachtjes. 'Maar ik kan het balkon niet op, daar zit iemand. Kunnen we buiten afspreken?'

Ik krijg een zwaar gevoel op mijn borst.

'Vertel het nu maar,' zeg ik.

'Ik sta in een telefooncel, mijn geld is bijna op...'

'Dan steel je toch nog wat!' zeg ik boos. Misschien is er voor alles een verklaring. Misschien heeft hij er wel een goede reden voor.

Er wordt aangebeld. Het is de bovenbel, er staat iemand vlak bij de voordeur. Hans Gjermund Kristoffersen? De politie?

'Er staan nog punten op de lijst,' zegt hij, en hij probeert leuk over te komen, speels, maar zijn stem klinkt wanhopig, alsof hij elk moment kan overslaan.

Er wordt nu langer aangebeld.

'Hé, ik moet ophangen,' zeg ik. 'Er wordt aangebeld, misschien de politie.'

'Hé…' roept hij.

Ik houd mijn telefoon bij mijn oor.

'Ja?'

'Weet jij hoe het met hem is?'

'Geen idee, maar er stond niets op internet, dus dan zal er niets veranderd zijn.'

Hij zucht met een trillende adem.

'Ik vind je écht heel leuk,' zegt hij.

Mijn wangen branden en mijn oren gloeien, ik weet niet wat ik moet zeggen.

Weer die irritante deurbel, automatisch wil ik mijn mobiel uitdrukken. Maar als ik de uit-knop ingedrukt houd, bedenk ik me weer. Snel houd ik de telefoon weer aan mijn oor en ik merk dat de verbinding nog niet is verbroken, want ik hoor geruis en zijn ademhaling.

'Bel me zo terug!' zeg ik.

En dan hang ik op.

De deurbel klinkt agressief, en ik loop snel naar de deur, bedenk me dat ik de telefoon niet uit had hoeven zetten. Ik zoek het slot, het metaal voelt koud aan, ik aarzel. Wat moet ik zeggen als het de politie is? Hans Gjermund Kristoffersen kan hebben gezien dat hij omhoog klom naar het balkon. Jomar, ik bedoel Joar, en hij kan me zelfs hebben geroepen.

Ik ben betrokken. Maar ook medeplichtig?

Ik wist nergens van.

Maar lieg ik dan, ben ik dat wel?

Hij vindt me leuk, die lieve Joar vindt me leuk.

Ik haal de deur van het slot, doe hem open, trek een lucht van tabak, gel en leer mee. Is een politiejas van leer?

'Waar is Joar?'

De stem klinkt loom en achteloos, veel te jong en veel te sloom om van de politie te zijn. Opeens valt het kwartje: het is Chris Hansen. Ik heb verdomme opengedaan voor Chris Hansen.

Chris Hansen

Het leer kraakt, hij beweegt en komt dichterbij. Ik voel dat de deur tegen me aan drukt, maar ik houd hem tegen.

'Waar is hij?'

'Weet ik niet!'

Dit gaat me niet lukken, de deur drukt zo hard tegen me aan, hij is te sterk.

'Hans Gjermund!' roep ik koortsachtig.

De deur wordt met veel kracht opengeduwd, ik struikel en knal keihard met mijn elleboog tegen de muur. Hij gaat over me heen staan, werkt me tegen de muur en houdt z'n hand voor mijn mond. Ik probeer los te komen door hem te slaan, maar hij pakt mijn handen en houdt ze stevig vast.

'Sst,' sist hij. Zijn adem ruikt naar Fisherman's Friend. 'Rustig maar! We willen alleen even Joar spreken.'

Ik probeer me uit zijn greep los te wurmen, maar hij duwt nog harder en drukt me tegen de muur. Achter hem staan mensen, ik hoor bewegingen, stappen, de deur slaat dicht. Ik hoor sopgeluiden naar de kamer lopen, aan de andere kant hoor ik een paar zolen en schoenveters tegen de grond tikken, bij de slaapkamers.

Hij houdt zijn hand over mijn neusgaten, waardoor ik niet normaal kan ademen, en hij knijpt zo hard dat mijn tanden zeer doen. Ik probeer me los te rukken, maar hij trekt mijn polsen harder naar beneden, het lijkt net alsof de spieren in mijn handen niets meer kunnen. Ik moet het opgeven, ontspannen, ik krijg bijna geen lucht meer.

'Er is hier niemand!' roept een hijgende mannenstem vanuit mijn kamer.

'Vertel maar waar hij is,' zegt Chris. 'Dan gaan we.'

Hij laat zijn greep op mijn mond los, ik hap naar adem, zuig de lucht door mijn neus en mond naar binnen.

'Wáár is hij?'

Ik hijg en ik moet mijn best doen te kalmeren.

'Weet niet…'

Hij houdt mijn polsen nog steviger vast, zijn nagels snijden in mijn huid.

'Weet je het echt niet?'

Ik voel de tranen in mijn keel, schud snel van nee. Hij laat zijn greep om mijn handen iets los.

'Heeft hij je verteld wat hij heeft gedaan?' vraagt hij.

Ik durf niets te zeggen, probeer te slikken, ik moet de brok in mijn keel proberen weg te krijgen.

De soppende geluiden uit de kamer komen hierheen.

'Hij is er niet.'

Die lichte, knerpende stem is van Erik Eikel.

Chris blaast me in mijn ogen.

'Wanneer komt hij?' vraagt hij.

'Ik… Ik weet het niet… Ik ken hem niet zo goed…'

Erik lacht minachtend.

'Vrij je met iedereen die je niet zo goed kent?'

Ik schud mijn hoofd en klem mijn tanden op elkaar. Het prikt in mijn neus, ik mag nu niet gaan janken!

'Joar en Robert waren dikke vrienden,' zegt Chris. 'Ze woonden naast elkaar in het opvanghuis, waren altijd samen. En opeens stormt Joar op hem af met een mes, hij draait helemaal door! Toch, Erik? Jij was erbij, je hebt alles gezien.'

'Eh… Hij werd helemaal…'

Erik aarzelt, zoekt naar de juiste woorden. Hij schraapt zijn keel en zijn stem wordt zwaarder: 'Helemaal knettergek! Alleen omdat Robert iets voorlas wat hij had geschreven. Maar het was een geintje, Robert wilde alleen een beetje lol trappen.'

De hand voor mijn mond verdwijnt, de greep om mijn polsen verslapt.

'Hij had een mes!' zegt Chris. 'En hij liep recht op Robert af. Nu ligt hij al een week in coma. Hij kan doodgaan, snap je dat? Mijn arme broertje…'

Mijn vingers blijven kloppen, alsof er nog glas in de wond zit. Zijn broer?

Chris praat zachter, fluistert haast:

'Waar is hij?'

Zijn adem strijkt langs mijn keel, ik ril.

'Ik weet het niet...'

Ik ben mijn stem bijna kwijt. 'Echt niet...'

Ik voel een snik opkomen, maar kan hem net binnenhouden door mijn tanden op elkaar te persen.

'We dragen hem alleen maar over aan de politie,' piept Erik.

'Hm hm, de politie,' mompelt Chris.

Hij laat me los en stapt opzij, maar is nog steeds zo dichtbij dat hij me kan pakken.

'Heb je zijn nummer?' vraagt Erik.

Ik schud van nee. 'Hij is zijn mobiel kwijt...'

Chris snuift.

'Ha ha!'

'Die hebben ze op zijn kamer gevonden,' zegt Erik.

'Maar hij zal toch wel een nieuwe hebben?' vraagt Chris. 'Dat was vorige week.'

Mijn polsen zijn gevoelig, mijn kaak doet zeer van zijn hand.

'Ik denk niet dat hij veel geld heeft,' zeg ik.

Chris lacht honend.

'Dát is nog nooit een probleem geweest voor Joar Bertelsen!'

De lach stopt acuut.

'Laat jouw mobiel eens zien!'

Ik schud mijn hoofd, maar weet dat ik geen keuze heb.

Hij komt dichterbij.

'Hier met die mobiel!'

Het heeft geen zin tegen te stribbelen. Ik steek mijn hand in mijn zak en pak mijn telefoon. Hij pakt hem, maar drukt hem weer terug in mijn hand en vraagt of ik hem aanzet. Mijn vingers trillen, de pincode is fout, als ik het maar niet verpruts, hij zou woedend worden. Ik toets ze voorzichtig in, cijfer voor cijfer, de code klopt, uit de mobiel klinkt het vrolijke opstartsignaal. Hij rukt het toestel uit mijn hand, toetst erop los, snoeft om Björn Borg die alles zegt wat er op het scherm verschijnt.

'In elk geval niet bij de J,' mompelt hij. Als hij maar niet bij de ontvangen oproepen kijkt en die telefooncel belt. Joar staat er misschien nog. Hij zou me terugbellen.

Mijn mobiel piept en zegt: 'Eén oproep gemist.'

In mijn rug voel ik overal schokjes, mijn lichaam verkrampt.

'Bel uw voicemail om uw bericht te beluisteren,' zegt Björn Borg en hij leest het nummer voor.

'Je hebt een bericht,' zegt Chris.

'Misschien is het wel privé!' zeg ik, maar mijn stem valt weg.

Chris toetst iets in.

'Belt de voicemail,' zegt Björn Borg luid, Chris heeft hem op de speaker gezet.

'U hebt één nieuw bericht,' zegt de geautomatiseerde stem.

Pieiep.

De lijn kraakt.

Als hij maar niet de plek noemt waar we elkaar gaan ontmoeten.

'Dag, met mama!'

Ik ben zo opgelucht dat ik ga lachen. Mijn moeder!

'Waar ben je? Ik heb je wel duizend keer gebeld nadat ik je bericht had gehoord. En nu heb ik net Trine Lise Ystanes van het kamp gesproken en ik ben echt geschokt! Dat had ik van jou niet verwacht, Julie!'

Een dikke, pijnlijke blos stijgt op naar mijn wangen.

'Dit kan echt niet, Julie. We komen zo snel mogelijk naar huis. Bel me meteen terug!'

Pieiep.

Chris Hansen barst in lachen uit. Erik Eikel en die andere doen mee.

Chris toetst iets in op mijn mobiel, hij is zo snel dat Björn Borg hem niet kan volgen. Chris pakt mijn hand en geeft me mijn telefoon terug.

'Zo, nu heb je mijn nummer,' zegt hij. 'Dan weet je me te vinden als je Joar ziet.'

Het geluid van jassen en het gelach verdwijnt de hal in, de deur smakt hard dicht.

Ik doe de deur op slot, zak met mijn rug tegen de deur in elkaar.

Het voelt alsof ik verscheurd ben, alsof alles kapot is.

Maar ik ga niet janken. Dat nooit!

En die stomme mobiel begint in mijn hand te trillen.

Mama, mama dringt hij aan.

Ik moet er gewoon doorheen.

Ze loopt alweer te schelden. Herhaalt alles wat op mijn voicemail staat, maar alleen nog sneller en nog nijdiger.

'Het vliegtuig landt morgen om 9.50 uur!' snauwt ze. 'Tot dan heb je huisarrest!'

'Ja,' zeg ik. 'Hoe ga je dat controleren dan?'

Mijn moeder snuift triomfantelijk.

'Ik heb net Hans Gjermund gesproken.'

Joar

Hans Gjermund Kristoffersen zit in de keuken op zijn laptop te tikken. Ik hang over mijn bureau op mijn kamer. Ineengedoken. Mijn wang drukt tegen mijn handpalm, de bloedtoevoer naar mijn vingers is afgesneden, ze prikken helemaal.

Ik heb Joar Bertelsen gegoogeld. Maar ik geloof niet dat de Joar Bertelsen die ik ken een hardloper is. En hij is zeker niet in 1969 geboren en heeft ook geen jaarinkomen van 539.365 Noorse kronen.

Er is geen nieuws over Robert, in ieder geval niet op internet. Op Facebook is er een steungroep opgericht, iemand heeft haatberichten over Joar geschreven:

Zo iemand verdient levenslang!

Hij moet hangen.

Als ik hem zie, spuug ik hem recht in zijn gezicht.

Ik check mijn mobiel naast het toetsenbord. Niets. Het geluid staat uit, zodat Hans Gjermund hem niet hoort. Maar het trillen hoor ik natuurlijk wel.

Ik ga sowieso niet opnemen als híj belt. Ik wil niets meer met hem te maken hebben. Hij is niet goed voor me. Die pijn in mijn hart komt alleen doordat ik me verraden voel. Hij is in- en inslecht.

Ik heb zin om onder de dekens te kruipen, om ze helemaal over mijn hoofd te trekken, in het matras weg te zakken en weg te doezelen. Als ik slaap, gaat de pijn weg. In je dromen is alles lekker zacht.

Maar het lukt me niet. Zolang die Hans Gjermund hier rondsluipt, moet ik wakker zien te blijven. Die heldere lach toen ik de deur voor hem opendeed, ik rilde. Bijna te lief en aardig. Alsof ik met hem... Gelukkig had ik mijn grote sweater aangedaan en helemaal naar boven dichtgeritst. Maar hij staarde vast toch wel, die viespeuk.

Ik plof op mijn bed. Kan geen muziek opzetten, want ik moet kunnen horen of Hans Gjermund aan komt sloffen. Als hij van plan is hier vannacht te slapen, moet ik wakker zien te blijven. Als mijn ouders morgen terugkomen, komt alles weer goed. Ik zal wel op mijn kop krijgen, en huisarrest, maar dat geeft niet: vanaf nu blijf ik gewoon thuis. Ik ga naar boeken luisteren, op mijn gitaar oefenen, naar de radio luisteren. Op vrijdags met mijn vader en moeder taco's eten, misdaadseries kijken, vroeg naar bed, na het ontbijt een wandeling maken, gezond worden. En de Club en feesten vond ik sowieso nooit echt leuk, dat is niets voor mij.

De Queen of the World, zie je het al voor je! Ik? In een disco dansen, me bezatten, me uitdagend kleden, met jongens naar bed? Ik?

Ik ben Julie. Zo ben ik niet. Ik ben netjes, ik ben lief. Ik blijf hier, haal me niets in mijn hoofd.

En ik laat me zeker niet voor de gek houden door een of andere gozer met een ring door zijn lip. Die inbreekt in andermans huizen en er ook nog eens gaat wonen. Die steelt, liegt en zegt dat hij me erg leuk vindt.

Ik vind je echt heel leuk.

Chris en zijn maatjes hebben hem nu misschien wel gevonden. En hem in de kofferbak gegooid. Weggereden. Naar een verlaten plek, over hobbelweggetjes. Hem eruit getrokken, in elkaar getimmerd, geslagen, geschopt.

Ik denk aan de film waar hij over vertelde toen ik in bad lag. De bendes in Los Angeles. Die wraak namen als er een vriend van hen was vermoord. Ze reden door de straten, op zoek naar iemand die ze konden neerknallen.

Mijn maag trekt samen.

Joar is er al de hele tijd bang voor geweest. Dat was de reden dat hij juist over die film begon te vertellen die avond. Hij kent Chris Hansen.

Het geslof uit de gang komt dichterbij. Met een ruk kom ik overeind, pak de iPod van het nachtkastje en druk erop.

De deur gaat open.

'Hallo?' zegt Hans Gjermund Kristoffersen. Gelukkig klinkt zijn stem normaal, niet die slijmerige suikerstem meer. 'Ik heb op internet zitten kijken wat er gebeurd is toen ik weg was. En ik zie dat er een steekpartij is geweest in dat opvangcentrum vorige week. Weet jij daar iets van?'

Ik verkramp. Weet hij iets?

'Alleen wat er op internet staat,' stotter ik.

'De dader, een jongen van zestien, is nog niet gevonden. En die jongen die ik omhoog zag klimmen, die was een jaar of zestien.'

Ik steek de iPod in de zak van mijn sweater.

'O ja?' zeg ik onverschillig.

'Als dat nu dezelfde jongen is? Het is net alsof er iemand in mijn huis heeft gewoond toen ik er niet was. Er is eten verdwenen, er heeft iemand in mijn bed gelegen...'

'Ja, en?' zeg ik net iets te onverschillig, misschien verraad ik mezelf.

'Dat vroeg ik je toch. Of je misschien iets in mijn huis had gehoord?'

Automatisch schud ik met mijn hoofd.

'Hij kan er al vanaf donderdag hebben gezeten. Weet je zeker dat je niets hebt gehoord?'

Ik knik. 'Heel zeker.'

Hans Gjermund zucht teleurgesteld.

'Maar ik bel toch maar even de politie,' zegt hij. 'Dan kunnen ze kijken of ze er iets mee kunnen.'

Hij gaat naar de gang, maar laat de deur van mijn kamer open. Daar toetst hij iets in op zijn mobiel.

Ik loop terug naar mijn telefoon, check of die aanstaat. Ja. Er heeft niemand gebeld, logisch, anders zou ik het wel hebben gehoord.

Er bekruipt me een naar gevoel, ik voel een rilling in mijn nek: er kan iets gebeurd zijn. Misschien heeft Chris hem te pakken of heeft de politie hem gevonden.

Die rotzak. Zijn lieve, zachte handen. Zijn harde nek, de pezen die zich aanspanden. De piercing die tegen mijn lip aan drukte toen we zoenden. De tattoo die ik meende te voelen toen we op het matras lagen te vrijen. En zijn lach! Ik word er blij van als ik eraan denk. En toen hij daarna voor me zong, op het matras: 'I like you so much better when you're naked.'

Hans Gjermund verheft zijn stem op de gang, hij is nog steeds boos. 'Luister eens!' zegt hij. 'Jullie kunnen in elk geval toch komen kijken of hij sporen heeft achtergelaten, misschien is er iets wat leidt tot...'

Hij wordt in de rede gevallen.

'Maar het kán toch dezelfde jongen zijn!'

Als de politie de flat van Hans Gjermund moet doorzoeken, moet hij de deur voor hen openmaken, hen rondleiden. Dan ben ik alleen.

Ik loop naar de deuropening.

'Hé...' zeg ik.

'Sst!' sust Hans Gjermund.

Maar ik verhef mijn stem:

'Volgens mij heb ik toch wat gehoord. Nu ik erover nadenk.'

'Wat?' sist hij. 'Nee, ik heb het niet tegen u, een moment!'

Hij draait zich om: 'Wat zei je daar?'

'Ik heb iets in je flat gehoord. Muziek, voetstappen. Een paar avonden. Ik denk dat er iemand was. Maar ik dacht dat jij het was, dus ik stond er verder niet bij stil.'

'Hoorde u dat?' zegt Hans Gjermund. 'Het buurmeisje heeft hem gehoord, hij is hier een paar keer binnen geweest!'

Ik hoor gemompel aan de andere kant van de lijn.

'Ja!' zegt Hans Gjermund, zijn humeur is een stuk beter nu, hij is bijna opgetogen. 'Kom maar langs, ik ben thuis!'

Als ik maar niet iets doms heb gedaan.

Naar buiten

De politie is onderweg en Hans Gjermund wil dat ik meega naar zijn flat.

'Ik wil nu eigenlijk graag naar bed,' zeg ik.

'Je kunt in mijn logeerkamer slapen. Misschien wil de politie nog even met je praten, weten wat je precies hebt gehoord.'

'Het is al bijna elf uur,' zeg ik met een vermoeide stem. 'Ik wil graag naar bed.'

Hans Gjermund smakt bedachtzaam.

'Hm... Ik heb je moeder beloofd op je te passen... Maar als ik zie dat je naar bed gaat, moet dat toch ook kunnen.'

Sukkel. Hij wil me in mijn nachthemd zien.

Ik ga naar de badkamer, sluit de deur. Doe mijn sokken uit, trek mijn broekspijpen omhoog en doe mijn moeders badjas aan. Poets mijn tanden. Denk gemene dingen over Hans Gjermund Krisukkelsen.

Hij staat in de hal te wachten, grinnikt nerveus.

'Welterusten!' zeg ik schel en ik loop mijn kamer in, doe de deur dicht. Maar hij komt achter me aan en opent de deur.

'Zal ik... voor je zingen?'

'Nee!' snauw ik.

'Ik vroeg het alleen maar,' zegt hij met een iele stem. 'Nou, welterusten!'

Ik kruip onder mijn dekbed. Hij sloft wat rond, gaat naar de keuken, sluipt rond in de kamer. Hij sloft weer de gang op, ik hoor dat hij helemaal naar mijn deur toe loopt. Staat hij door het sleutelgat te kijken of zo? Hij schuifelt weer stilletjes weg. De voordeur klapt dicht en ik laat mijn adem los, voel de rust terugkomen. Hij heeft geen sleutel. Nu ben ik vrij.

Ik wacht even voor alle zekerheid. Schuif het dekbed aan de kant, trek de badjas uit. Ik loop naar mijn pc, zoek het artikel met het opsporingsbericht en de foto, print het uit. Ik loop heel stil de gang in en kleed me aan. Zoek de stok, leg spulletjes klaar.

Dan luister ik of ik iets hoor in de hal. Niets.

Bij de ontvangen oproepen zoek ik het nummer op waar Joar vandaan belde.

Hij blijft overgaan, niemand neemt op. Het belsignaal gaat opeens over in een agressieve bezettoon. Logisch. Hij staat al lang niet meer in die telefooncel.

Dan zoek ik het sms'je van Ahmed op en bel dit nummer terug. Ik krijg direct de voicemail. Ahmed rapt dat je een bericht kunt achterlaten en zingt vervolgens *Leave your name and your number.* Ik moet lachen, hij is een beetje gestoord. Er klinkt een piep en ik wil ophangen, maar bedenk me op het laatste moment. Ik zeg dat ik het leuk vond om kennis te maken en dat ik op zoek ben naar Joar. Als hij weet waar hij uithangt, dan moet hij me direct terugbellen.

'Direct,' herhaal ik.

Zodra ik geluiden in de hal hoor, bel ik een taxibedrijf. Fluisterend vraag ik om een taxi, ik moet het adres herhalen omdat ze me niet verstaat.

Brommende stemmen echoën tussen de muren in de hal, ik hoor schoenen kraken op de vloer en de schelle deurbel bij Hans Gjermund. Ik hoor zijn stem die zo vrolijk is dat je zou denken dat hij nooit mensen op bezoek krijgt.

Ik wacht nog even totdat het helemaal stil is geworden. Voorzichtig doe ik de deur open, sluip de hal in en trek de deur zachtjes dicht. Ik ga naar de trap en loop voorzichtig de treden af.

Als Chris Hansen maar niet buiten staat.

Maar er staat wel een politieauto. Hopelijk is dat voldoende om Chris Hansen op afstand te houden.

Als ik de buitendeur open, strijkt er meteen een frisse wind langs mijn wangen. Ik sluit de deur voorzichtig achter me en luister. De bladeren ritselen in de wind.

Er komt een auto aanrijden, het klinkt als een Mercedes, een typisch taxigeluid. Ik loop naar de straat. De auto remt, de deur klikt open.

'Heb je hulp nodig?'

Het is dezelfde taxichauffeur weer. De vrouw die me eerder op de dag thuis heeft gebracht. Ik ben zo blij, zij gaat me verder helpen.

Op de achterbank geef ik haar de print met de foto.

'Ik zoek deze jongen,' zeg ik. 'Rij maar wat rond. Naar de brug, naar het strand.'

De auto rijdt weg.

'Heb je je vervoerskaart bij je?' vraagt ze. Het papiertje wappert, ik denk dat ze het op de passagiersstoel heeft gelegd.

Ik geef haar de kaart.

'Worden we achtervolgd?' vraag ik.

Ze lacht nerveus.

'Nee, voor zover ik kan zien niet.'

Ik hoor het geluid als ze de kaart door het apparaat haalt en een pling als bevestiging.

'Er staat niet zo veel saldo meer op,' zegt ze en meteen stopt ze de taxi.

'Hoeveel dan?'

'Negenendertig kroon.'

Ik haal mijn portemonnee uit mijn jaszak en pak mijn bankpasje. Hier staat in ieder geval nog wel wat op, een paar honderd kronen.

Ze pakt de kaart niet aan. Ik leun verder voorover, prik met de kaart op haar schouder. Ze pakt hem aan. Ik hoor dat ze voorover reikt, haar stoel kraakt.

'Nee, die doet het niet.'

'Probeer het nog eens,' zeg ik.

Het is stil voorin, muisstil. Ik hoor geen kaart schuiven, geen pling of andere irritante foutmelding.

'Nee,' zegt ze. 'Sorry!'

'U hebt het niet eens geprobeerd!'

'Sorry, maar ik rij niet graag midden in de nacht rond op zoek naar een messentrekker!'

Ik voel een woede-uitbarsting in me opkomen. Hij is geen messentrekker!

'Misschien moet je er even een nachtje over slapen,' zegt ze.

No way!

'Nee,' zeg ik. 'U moet doen wat ik vraag. Daar heb ik recht op, ik heb genoeg geld op mijn rekening.'

Ze probeert te protesteren, maar ik laat me niet afschepen, ik vraag haar vriendelijk het papier terug en snel naar Tyttebærweg 25 te rijden.

'Alleen daarheen?' vraagt ze.

'Ja, oké.'

Het is lang stil.

Dan zucht ze diep.

De auto vertrekt. Ik hoor haar de kaart door het apparaat halen en met-een daarna hoor ik het acceptatiesignaal.

Dan bel ik Silje.

Gek genoeg slaapt ze nog niet. Ze is klaarwakker en zegt dat ze op inter-net zit. Ik heb zin om te vragen of ze vieze films zit te kijken. Maar ik blijf serieus. Ik heb haar nodig.

'Silje,' zeg ik. 'Ik heb hulp nodig.'

'Ja, dat heb ik begrepen,' zegt Silje.

'Maar geen geestelijke, als je begrijpt wat ik bedoel.'

Ze zucht geïrriteerd, maar ik onderbreek haar. 'Ik bedoel dat wat ik je ga vragen misschien een beetje onchristelijk klinkt, maar het is voor een goed doel.'

'Hm hm.'

'Het gaat over een jongen, ik vind hem erg leuk.'

'Ben je verliefd?'

'Ja.'

'Die zonder gezicht?'

'Ik kom nu even bij je langs,' zeg ik. 'Dan vertel ik het je.'

'Het is midden in de nacht, Julie!'

'Ik heb je hulp nu nodig. Ik vertel het je als ik er ben.'

Silje ademt diep in.

'Alles?'

Het lukt haar niet haar verwachtingen verborgen te houden, in haar stem klinkt een duivelse vreugde door.

'Alles.'

Silje fluistert tegen me als ik uit de taxi stap. Ze heeft op me staan wachten, want ze staat verdekt opgesteld achter de grote bomen naast de villa. Dat snap ik wel. Haar ouders zijn heel erg christelijk.

Ik vraag haar om haar fiets te pakken en maak haar duidelijk dat ik haar alles vertel als we op de fiets zitten. Ik achterop, en zij trappend op de pe-dalen. In de richting van de stad.

Ik ben tactisch. Begin bij het begin, in bad. Vertel hoe we elkaar leerden kennen op het balkon. Dat we dingen van de lijst deden. En dat van het een het ander kwam. Tot we samen op het matras lagen. Ze vraagt niet of het pijn deed. Ze vraagt niet of ik het lekker vond. Maar ik denk dat ze wel begrijpt dat ik er niets op tegen had.

Ik laat wat details achterwege. Dat iemand me achtervolgde toen ik van het strand terugkwam. En dat Chris Hansen me tegen de muur aan duwde. Ik zeg alleen dat hij Joar zocht en dat hij een beetje opdringerig was.

Als ik bij het stuk over het opvangcentrum kom, vraag ik haar te stoppen. Ik haal de print uit mijn zak en laat het haar lezen. Ze zwijgt. Ik probeer argumenten te verzinnen voor als ze terug wil. Dat Joar in levensgevaar kan zijn, dat we hem moeten vinden voordat Chris hem vindt. Dat ik gewoon met hem moet gaan praten om te horen wat er precies is gebeurd.

Ze geeft me het papiertje terug.

'Je hebt echt geluk gehad,' zegt ze. 'Hij is leuk.'

Ze begint weer te fietsen, al wiebelend maakt ze vaart.

'Geluk?' vraag ik verontwaardigd.

'Je bent blind, Julie, hij had ook foeilelijk kunnen zijn!'

Ze lacht, en ik geef haar een klopje op haar rug.

'Brutalen hebben de halve wereld!' zeg ik gniffelend.

Op de brug moeten we afstappen, de heuvel is te steil. De wind suist in mijn oren, Silje moet hard praten:

'Ik heb wat nagedacht.'

Oei, denk ik. Ze is bang en wil misschien naar huis.

'En?'

'We kunnen niet zomaar wat rondfietsen. We moeten echt een doel hebben.'

'Ik heb geprobeerd een van zijn vrienden te pakken te krijgen, maar hij antwoordde niet. Maar ik dacht eraan naar de plaatsen te gaan waar we samen zijn geweest. De school, het strand, misschien de nachtclub.'

'Hoe zit het eigenlijk met zijn vader, en zijn moeder? Misschien zit hij daar wel?'

'Hij woont in het opvangcentrum, ik weet niet eens of hij ouders heeft.'

'Goed,' zegt Silje. 'Dan gaan we daar naartoe.'

'Hè?'

'Naar het opvangcentrum.'

'Ik weet niet of dat nou zo slim is, Erik Eikel woont daar ook.'

'Maar Erik Eik…'

Ze aarzelt, maar zegt dan opeens: 'Die eikel kent mij toch niet.'

Wat er echt gebeurde

Silje weet waar het is. Ze is er wel eens langs gereden op weg naar de kerk, de naam Sandbakken viel haar toen op, ze dacht aan die arme jongeren die daar wonen.

En ze heeft misschien ook voor hen gebeden, denk ik. Maar ik zeg niets. Ze bedoelt het goed.

Ze stopt met fietsen en ik stap af. Ze zet haar fiets op de standaard en alles is opeens zo stil. Het ruikt naar nacht, het waait hier niet. Ik hoor het verkeer een eind verderop.

'Wacht hier,' fluistert ze. 'Ik zie daar wat ramen, waarschijnlijk slaapkamers, ik ga kijken of er nog iemand wakker is.'

Ik voel dat de angst bezit van me neemt zodra ze begint te lopen.

'Hé...' zeg ik en ik hoor haar voetstappen stoppen. 'We werden toch niet achtervolgd?'

'Nee.'

'Worden we vanuit het huis bespied?'

'Nee,' fluistert ze. 'Niets aan de hand, hoor.'

Ze lijkt zo sterk, zo vastberaden.

'Ben je niet bang?' vraag ik.

'Nee. Nou, misschien een beetje.'

'Waarom doe je dit dan?'

'Voor jou, Julie.'

Ik word warm vanbinnen.

'Trouwens,' zegt ze. 'Dit is dé kans om van mijn angsten af te komen.'

Ik moet glimlachen, ze is net als ik.

Ze loopt. Eerst hoor ik gekraak op het asfalt, later grind, en dan zachte voetstappen op het gras, ze loopt steeds verder weg.

Ze klopt voorzichtig op een raam. Eerst één keer. Dan nog een keer.

Er is niemand.

Iets verderop probeert ze het nogmaals.

Pas bij het derde raam gebeurt er wat. Er schuift een raam open, het meisje is duidelijk geïrriteerd. Silje fluistert, ze legt het uit. De andere stem antwoordt en klinkt nog steeds agressief.

Ik hoor weer voetstappen op het gras. Silje komt hierheen.

'Kom!' fluistert ze.

Het meisje wil niet zeggen hoe ze heet. Maar ze kent Joar. Een beetje.

'Heb je gezien wat er die nacht is gebeurd?' fluister ik naar het raam. 'Toen Joar en Robert ruzie kregen?'

'Ik zat op mijn kamer,' zegt ze fel. 'Maar ik heb het gehoord. En we hebben het er veel over gehad. Er is hier zelfs een psycholoog geweest.'

'Wat is er gebeurd dan?' vraag ik.

'Wie zijn jullie eigenlijk?'

Ze klinkt bijna hatelijk, alsof ze met de tanden op elkaar praat.

'We zijn vrienden van Joar,' zegt Silje, ze heeft haar stem extra christelijk gemaakt. Dat is soms nodig. 'We zijn op zoek naar hem.'

'Omdat?'

Omdat ik hem wel heel erg leuk vind, denk ik. Maar ik heb het idee dat dat meisje ook op zoek naar hem is.

'Chris Hansen zit achter hem aan,' zeg ik. 'We moeten hem vinden voordat hij hem vindt.'

'Hm hm,' mompelt het meisje sceptisch. 'Erik was hier een halfuur geleden, dus over hém hoef je je in elk geval geen zorgen te maken.'

Goed, misschien zijn ze gestopt met zoeken. Voor vandaag dan.

Het meisje ademt diep in.

'Niet doorvertellen dat jullie met mij hebben gesproken, oké?'

'Tuurlijk niet,' zeggen Silje en ik bijna in koor.

'Robert had geloof ik iets gevonden op de kamer van Joar. Een opstel of zo, van een paar bladzijden. Robert begon die hardop voor te lezen, in de woonkamer. Joar probeerde de bladzijden uit zijn handen te rukken, maar toen ging Erik tussen hen in staan, en Robert ging toen op de tafel staan en las verder. Toen verdween Joar, en Robert bleef maar doorlezen met een grappig stemmetje, het ging over Joars moeder, dat ze ziek was of zo. Niemand luisterde eigenlijk naar het verhaal, want Robert maakte er echt een show van. Maar toen dook Joar opeens weer op, met een mes in zijn hand.

Robert grinnikte wat en praatte nog harder, niemand dacht dat Joar echt iets zou doen, hij viel nooit zomaar mensen aan. "Doe dat mes weg," zei Robert, "straks doe je jezelf nog wat aan!" Toen sloegen de stoppen bij hem door. Bij Joar dan. Hij viel Robert aan. Met het mes. Ik hoorde dat ze heel wild hebben gevochten. Iemand die hier werkt heeft hem geprobeerd tegen te houden, maar hij duwde haar weg, raapte de papieren op en is weggerend.'

Mijn hart doet pijn. Ik kan er me iets bij voorstellen dat hij probeert de papieren te pakken te krijgen. *Geef op! Hier ermee!* Vertwijfeld, bijna snikkend. Dat hij als een gek heen en weer rent daarbinnen, de deur die keihard wordt opengetrapt, en zijn voetstappen als hij ervandoor gaat.

En met zijn moeder is er dus écht iets. Misschien heeft ze geen kanker, maar misschien is het iets psychisch.

'Weet je waar zijn moeder woont?' vraagt Silje. 'Kan hij daar zijn?'

Het meisje snuift wantrouwend.

'Ik dacht dat je zei dat jullie vrienden van hem waren?'

Silje antwoordt niet, ik hoor aan haar ademhaling dat ze zich onzeker voelt.

'We kennen hem nog niet zo lang,' zeg ik. 'Daar heeft hij nog niets over verteld.'

Het wordt stil. Niemand zegt wat. Volgens mij hoor ik iets binnen.

'Zijn moeder is dood,' zegt ze.

Dood?

'Nee, echt?' zegt Silje vol medeleven. 'Wanneer dan?'

'Voordat hij hier kwam wonen in elk geval. Iedereen wist het, dus niemand begreep waarom hij zo woedend werd toen Robert dat voorlas.'

Ik schrik van mijn mobiel in mijn zak die opeens trilt. Ik pak hem, hij trilt als een gek in mijn hand, het kan Joar zijn. Of Chris.

Ik kan hem ook niet opnemen, gewoon laten gaan, en daarna checken wie me heeft gebeld.

'Neem op!' fluistert Silje.

Ik neem op.

'Hallo?'

Ik herken de stem niet, het is niet Joar, het kan Chris zijn, ik weet het niet.

'Met wie?' vraag ik.

Sst!' sist het meisje van het raam erboven.

'Met Ahmed. Ik heb je bericht gehoord. Hij was hier net.'

'O ja?'

'Hij leek niet echt happy, heb je hem gedumpt of zo?'

Hij probeert te lachen, maar het lukt hem niet echt.

'Ik weet dat hij Joar heet,' zeg ik. 'En ik weet wat hij heeft gedaan.'

'Ja, dat zei hij al. Sorry dat we moesten liegen.'

Ik wend me af van de anderen, ga een paar passen verderop staan.

'Waar is hij naartoe?' vraag ik.

'Dat wilde hij niet zeggen. Hij vroeg of hij de auto van mijn pa kon lenen. Ik heb de sleutels gepakt en toen is hij weggereden. Opeens remde hij en kwam achteruit terug, hij stapte uit, gaf mij de sleutels en bedankte me. Ik begreep er niets van, van mij had hij helemaal naar Zweden mogen rijden! Maar hij vroeg of ik wat drank en een cd-speler kon regelen, en dat heb ik gedaan. Toen vertrok hij.'

Achter me hoor ik een raam hard dichtslaan, Silje fluistert iets, het klinkt als 'doei'.

Ik ga naast Silje staan en praat zachtjes verder met Ahmed.

'Heeft hij iets over mij gezegd?'

'Eh... ja.'

'Wat dan?'

'Hij dacht dat het uit was.'

Ik probeer mijn aandacht erbij te houden om niet van streek te raken. Dat is niets nieuws, dat wist ik al. Ik heb de hele tijd al geweten dat het niets kon worden tussen ons.

'Hij zei dat hij niet wist of het zin had om het te blijven proberen, want hij kon het gewoon niet. Hij was wie hij was, ook al haatte hij dat. En toen mompelde hij iets over *going to hell*. Dat iedereen naar de hel gaat.'

'We're all going to hell', denk ik. Ida Maria.

Zoals zijn moeder?

'Hé, die moeder van hem, had zij...'

Ik weet niet precies hoe ik het moet formuleren, het klinkt zo dom: 'Problemen?'

Ahmed lacht.

'Ja, met Joar! Maar dat was daarvoor, hij veranderde toen ze kanker kreeg. Ging naar een andere school, begon met ons om te gaan. Alsof dat zou helpen. Ha ha.'

Schuifelende passen achter me in het gras. Silje sluipt naar me toe, haar adem trilt, ze heeft het koud.

'Ik denk dat we moeten gaan,' fluistert ze. 'Ze zat opeens zo te stressen.'

'Ik moet gaan,' zeg ik tegen hem en ik hang op.

Silje houdt me vast bij mijn arm en we lopen haastig over het gras. Ik denk aan wat Ahmed me vertelde. Joar heeft autogereden. Hij heeft een cd-speler geleend, drankjes meegekregen.

Opeens bedenk ik me dat autorijden op het lijstje stond.

Hij is de lijst aan het afwerken.

Wat stond er nog meer op?

Tattoo. Ervandoor gaan.

En dansen op het kerkhof

We lopen weer op het asfalt, Silje laat me los, ik hoor haar de standaard van de fiets omhoog schoppen.

'Wacht even,' zeg ik. 'Ik moet dat meisje nog iets vragen.'

Silje heeft daar geen zin in, ik hoor het aan de manier waarop ze zuchtend ademhaalt. Maar ik keer me om en loop weer richting het huis. Ik hoor Silje de standaard weer omlaag klappen en achter me aan lopen.

Silje klopt voorzichtig. Eerst wil het meisje niet opendoen, Silje fluistert dat ze nee schudt. Maar ik klop hard, zo hard dat het raam dreunt. Het raam schuift open.

'Stil!'

'Weet je waar de moeder van Joar is begraven?'

'Waarom vraag je dat?' spuugt ze bijna.

Ik bonk tegen de muur met mijn stok.

'Ik móét het weten!'

Het heeft effect. Ze geeft de naam van de kerk, ik heb er wel eens van gehoord, heb er heel lang geleden een dienst bijgewoond met Silje.

Dan trekt Silje me hard aan mijn mouw.

'Er is binnen een jongen die stiekem naar ons gluurt,' fluistert ze. 'Kan dat die Erik zijn?'

Het raam boven ons wordt dichtgeschoven.

'Hoe ziet hij eruit?' vraag ik.

'Heel kort haar, rood of zo. Niet al te groot.'

Ik huiver.

'Kom, we gaan!' zeg ik.

Het kerkhof

Silje trapt zo hard dat de ketting helemaal kraakt, ritmisch, snel, haar adem is gejaagd. Telkens als ze naar me omkijkt, wiebelen we. Ik vraag niet meer of we worden achtervolgd. Af en toe scheert er een auto voorbij.

'Als ze maar niet gaat klikken!' roept Silje buiten adem.

Die gedachte had ik ook, het is een paar keer bij me opgekomen: Erik kan haar hebben gevraagd wat we daar moesten. Als ze hem heeft verteld dat we naar het kerkhof vroegen, zou Chris er al kunnen zijn.

'Ze kent Joar goed!' Ik roep omdat het waait. 'Anders zou ze niet hebben geweten waar zijn moeder begraven ligt. Ik denk dat ze hem leuk vindt.'

Van achteren nadert er een auto en ik voel de angst toenemen naarmate de auto dichterbij komt. De angst glijdt van me af zodra de auto ons is gepasseerd.

'Ik denk...'

Silje hapt naar lucht, ze is volledig buiten adem. 'Misschien waren zij het wel in die auto. Ik weet het niet zeker, ik zag het niet goed.'

We rijden het grind op en de fiets begint te wiebelen. Ik voel dat we afremmen, de remblokjes onder me piepen.

'Hier zijn in elk geval geen auto's,' zegt ze terwijl ze rondkijkt.

Ik spring eraf en hoor even later dat ze haar fiets neerzet en op slot doet. Haar voetstappen komen naar me toe, ze pakt me vast bij mijn bovenarm, ik vind het niet fijn dat ze me verkeerd vast heeft.

'We lopen er snel overheen,' zegt ze en ze trekt me mee. 'Als we hem niet vinden, bellen we de politie, goed?'

Ik heb het gevoel dat er ergens iemand naar ons staat te kijken.

'Hm hm,' mompel ik.

De grond onder ons verandert van los, krakend grind naar een vaste, harde ondergrond, we lopen het kerkhof op. De geur van gras prikt in mijn neus, de lucht is vochtig en koud. Allemaal graven om ons heen. De doden liggen hier, ze rusten.

Ik haal de stok uit mijn zak, vouw hem uit. Houd hem paraat, voor het geval dat Silje me loslaat of dat we er snel vandoor moeten.

'Hier zijn alleen oude graven,' fluistert Silje. 'We moeten de nieuwe zoeken.'

'Waarom fluister je?' vraag ik.

'Geen idee,' zegt Silje, nog steeds heel zachtjes. 'Dat doe ik altijd op het kerkhof, heeft met respect te maken, denk ik.'

Er strijkt een kille windvlaag langs me, ik heb het koud.

Volgens mij hoor ik wat, ver weg, rechts van ons.

'Sst!' fluister ik en ik stop. Silje stopt ook. Haar ademhaling is onregelmatig en stokt opeens. Ik luister.

Een zacht gemompel, een continue stroom van geluid.

Ik wijs. Draai mijn hoofd een beetje die kant op en houd mijn adem in.

Achter me hoor ik het geluid van een auto die langzaam nadert, het komt van de weg, zijn zij dat?

Nee, hij rijdt door, het geluid verdwijnt naar rechts en ebt weg.

Weer stil. Ik probeer me te concentreren op het geluid voor ons.

'Ja...' fluistert ze.

Ze pakt me bij mijn arm en begint te lopen. We gaan het gras op, en ik zwaai met de stok voor me uit, raak iets hards, een graf. Ik hoor niets, alleen onze bewegingen, ademhaling en schoenen op het gras. Ik zou het nu moeten horen, we zijn toch dichterbij gekomen.

Maar dan, heel geleidelijk aan, alsof iemand de volumeknop omhoog draait, komt de muziek steeds luider uit de stilte omhoog. Zware, vette beats en een humeurige, rappende stem.

'Is hij dat?' vraag ik.

'Nee.'

We lopen die kant op, de muziek wordt harder, het is Eminem, denk ik, die geïrriteerde, opdringerige stem, hakkelend, agressief, hard.

Jawel, Eminem, ik weet het bijna zeker.

'Ik zie hier voetsporen in het bloembed,' fluistert Silje. 'En vertrapte bloemen.'

Een gevecht, denk ik, ze hebben gevochten.

'Er staat een cd-speler op het gras.'

Silje is op van de zenuwen, ze is bijna haar stem kwijt.

'Zie je hem?'

'Ik zie niemand.'

Ze sluipt stilletjes naar voren en ik volg haar. Opeens staat ze stil. Ik hoor haar slikken.

'Er is hier een nieuw graf,' zegt ze. 'Er staat... Het is een beetje eng.'

'Zeg dan!'

Met een gedempte stem zegt ze zachtjes:

'Julie Bertelsen.'

Ik ril, krijg kippenvel. Maar naarmate het beter tot me doordringt en ik begin te snappen wat het eigenlijk betekent, gaat de rilling over in een soort gekke vreugde:

Zijn moeder heet Julie.

Ik heb dezelfde naam als zijn moeder.

De lome, zware muziek staat hard, en mijn laatste hoop verdwijnt: de muziek, de cd-speler, dat kan maar één ding betekenen. Hij is hier geweest. En Chris Hansen heeft hem te pakken gekregen. Ze hebben hem gevonden en meegenomen. Ze hebben de cd-speler aan laten staan.

Zodat ik het zou horen. Zodat ik zou begrijpen wat er was gebeurd.

Laatste dans

'Hoi,' zegt een stem achter me. Ik schrik me wild, draai me om en houd de stok omhoog. Hij blaast lucht door zijn neus.

'Ga je me in elkaar slaan?'

Hij is het, of toch niet, er is iets met zijn stem, zo traag. Hij klinkt alsof hij onder de drugs zit, of drank.

Hij lacht en ik word weer vrolijk: het is die nonchalante, gulle lach weer. Het is hem wel, míjn Joar.

Ik laat mijn stok zakken, hoor dat hij iets drinkt. Het geklok komt van onderen, hij zit op de grond. Misschien tegen een grafsteen aan.

'Hoi,' zegt hij, zijn stem is nu iets stijver, koeler. Tegen Silje, denk ik.

'Ik zag je niet,' zegt ze en ze lacht nerveus. 'Je had je goed verstopt.'

'Sorry voor de muziek,' zegt hij. 'Maar Ahmed had niet zo heel veel keuze.'

'Ik denk dat Chris weet dat je hier bent,' zeg ik. Ik loop naar hem toe, houd de stok voor me, stoot ergens tegenaan, sta stil.

'Ik heb bijna alles van de lijst gedaan,' zegt hij. Hij zit vlak voor me. Ik ga op mijn hurken zitten, tast de plek af waar de stok tegenaan kwam, het is zijn schoen. Een sportschoen, de versleten stof voelt rafelig aan, de opgedroogde modder valt uiteen als ik het aanraak. Ik zoek zijn enkel en houd hem vast.

'Julie?'

Silje klinkt angstig, heeft ze iets gezien?

'Misschien willen jullie even alleen zijn? Ik ga wel verderop staan. Maar ik blijf vlakbij, dus… Roep me maar als je me nodig hebt.'

Langzame stappen op het gras. Ik draai me om in haar richting.

'Dank je wel!' zeg ik. De stappen worden zekerder en verdwijnen.

Ik draai me weer om naar Joar en snuif zijn geur in me op. Hij ruikt naar zweet en alcohol, en iets zoets en sterks, om misselijk van te worden. Cognac?

'Waarom heb je niet verteld dat je moeder dood was?' vraag ik.

'Dat zou een beetje luguber zijn,' zegt hij en hij lacht hees. 'Ik had toch al gezegd dat ze in die flat was.'

'Kom, misschien kunnen we beter gaan, voordat...'

'We moeten eerst dansen,' onderbreekt hij me. 'Het staat op de lijst.'

Hij trekt zijn voet naar zich toe, ik laat los. Sniffend en gniffelend staat hij op, het kost hem moeite overeind te komen.

'Heb je je iPod bij je?' vraagt hij.

Ik haal hem uit mijn sweater en houd hem omhoog zodat hij hem kan zien. Hij loopt weg en zet Eminem uit. Ik doe een oortje in, zoek het nummer 'I Like You So Much Better' en houd het andere oortje omhoog. Hij pakt mijn hand, zijn hand is klam en warm, hij moet hem in zijn zak hebben gehad, om hem op te warmen. Hij doet het oortje in, ik duw de plug erin.

'Nee,' zegt hij. 'Doe maar iets rustigers.'

Ik neem niet 'We're All Going To Hell', maar blader door tot 'In the End'. De gitaar begint te spelen, Ida Maria tokkelt zachtjes op de snaren. Dit nummer is zeker wel triest genoeg.

Hij stoot tegen me aan, gooit zijn armen om me heen, pakt me bij mijn heupen. Trekt me naar zich toe, ik krijg een heerlijk gevoel in mijn buik. Hij houdt me vast. We wiegen zachtjes heen en weer.

I hope we'll meet in the end, zingt Ida Maria. *With wrinkles like the divas.*

Hij boort zijn neus in mijn hals, zijn stoppeltjes raspen een beetje, zijn neus is koud. Hij is net een jong hondje dat zijn snuit komt opwarmen. Ik druk hem tegen me aan, houd hem daar vast, kom maar.

And we'll dance again and again.

Misschien komt die Chris niet, misschien heeft dat meisje ons niet verraden. Misschien kunnen we hier blijven, misschien kan dat wel.

Hij tilt zijn hoofd op en houdt zijn mond bij mijn oor.

'Eminem heeft een liedje over z'n moeder,' fluistert hij. 'Ken je dat?'

Ik moet heel diep graven, maar ik kan er niet op komen, schud van nee.

'Het gaat over zijn moeder. Dat ze aan de dope en valium zit en dat hij daarom is zoals hij is.'

'Joar,' zeg ik. 'Nu doe je weer zo geheimzinnig.'

'Sorry...'

I hope we'll meet in the end.

'Mijn moeder was niet aan de dope, dat is het niet. Soms dronk ze iets te veel, maar dat kon ik wel *handelen*.'

Hij blaast me in mijn oor, het kietelt een beetje.

'Er is iets met je vader, of niet?'

Hij lacht zonder echt te lachen.

'Waarom denk je dat?'

'Je hebt al heel veel over je moeder verteld, maar niets over je vader.'

'Hmm…'

'Wat is er dan?'

'Het komt door hem,' zegt hij zachtjes. 'Door wie hij is.'

We deinen mee op de muziek, hij is wat stijf in zijn lijf geworden. Ik kietel hem in zijn nek. Hij ontspant iets.

'Wie is hij dan?'

Hij aarzelt, ademt diep in en zucht.

'Een duivel… Ik had weg moeten blijven, ik had hem moeten vergeten. Hij is niet goed wijs…'

Hij begint weer te bewegen, deint traag mee op de muziek.

'Eigenlijk was hij vroeger best wel oké, toen ik klein was. Toen gingen we een stuk rijden of samen vissen. Of we huurden een actiefilm die we samen keken ook al was ik er niet oud genoeg voor. Maar hij kon ook ontzettend kwaad worden. De controle over zichzelf verliezen, uit zijn dak gaan. Een keer vernielde hij een zeepkist die hij voor me aan het bouwen was. Alleen omdat hij het wiel er niet goed op kreeg. Hij timmerde er volledig op los en sloeg alles kort en klein…'

Het nummer is gestopt. Drums kondigen het begin aan van het volgende nummer, 'We're All Going To Hell', ik vraag me af of ik een ander nummer moet kiezen.

'Maar sloeg hij je ook?'

'Nee. Ik werd wel eens door elkaar geschud en heel vaak werd me de huid vol gescholden. Maar mijn moeder… Soms kon ze er niet tegen dat hij zo deed, dan gaf ze hem een grote mond terug en gilde ze dat hij zich moest gedragen. Dan ging ik onder de dekens liggen met mijn handen tegen mijn oren, want ik wist wat er ging gebeuren, wat hij haar zou aandoen. Maar mijn moeder schreeuwde niet, ze bleef kalm. Ze wilde mij niet van streek maken. Maar als ik dan niets hoorde, zag ik het ergste al voor me. Dat ze bewusteloos in de kamer lag. Of dat ze in bed lag met een deken over zich heen, op d'r zij, zoals altijd. Alleen dat ze dan… niet ademde.'

'Jemig…'

'De volgende ochtend was ze altijd lief en kreeg ik wat lekkers mee naar school. En chocolademelk. Mijn vader lag dan nog in bed, hij hoefde niet naar zijn werk omdat hij ziek was, vertelde ze dan.'

Ik druk me tegen hem aan, aai hem over zijn schouders, hij ontspant zich en leunt een beetje mijn kant op.

'Toen mijn moeder en ik een eigen huis kregen, werd het allemaal nog erger, hij dronk meer, belde op en schold mijn moeder de huid vol. Dan wilde hij mij spreken en kwam hij bij ons aan de deur om ruzie te schoppen.'

Joar wiegt rustig in mijn armen, het is alsof ik hem overeind houd en hem tot bedaren breng.

'Ik had heel lang geen contact met hem. Maar toen, een paar jaar geleden, gebeurde er iets. Als ik in de spiegel keek, zag ik hém, dat was doodeng: ik had zijn ogen. En soms merkte ik het aan de manier waarop ik liep, op de manier waarop ik praatte: ik leek op hem. Het was het ergst als ik boos werd. Ik sloeg dingen stuk, ging tekeer, sloeg… En met Chris en zo… We hebben heel wat afgefeest, soms maakten we het wel heel bont. Ik deed dingen die ik niet had moeten doen, ik kon, geloof ik, erg… ruw zijn.'

Hij heeft zo'n klein stemmetje, zo teer en kwetsbaar. Alsof hij het niet over zichzelf heeft, maar over iemand die hem dat allemaal heeft aangedaan. Hij wiebelt niet meer heen en weer, staat nu helemaal stokstijf.

'Toen mijn moeder ziek werd, besloot ik ermee te kappen. Ik verbrak het contact met Chris en zijn bende, en begon met Ahmed en zijn vrienden om te gaan.'

'Dat was goed, toch?'

'Ja, ik kreeg weer controle over mijn leven, dacht ik. Maar toen liep ik toevallig mijn vader tegen het lijf, voor het eerst sinds jaren. In de stad. Hij liep rond met een vrouw en een kind. Ze woonden op het platteland, vertelde hij. Hij leek zo blij, maakte grapjes, net zoals ik me hem herinner van toen ik klein was. Ik kreeg weer wat contact met hem, dronk wel eens koffie met hem in de stad, we praatten wat, stuurden elkaar sms'jes. Toen mijn moeder overleed, zat hij naast me bij de begrafenis. We maakten geen ruzie en toen de dominee zijn toespraak hield, legde mijn vader zijn hand voorzichtig op mijn knie en gaf me een klopje. Ik dacht dat hij was veranderd.'

Joar heeft me losgelaten, neemt wat afstand. Ik voel zijn oortje vallen en haal de mijne ook uit mijn oor.

'Hij vroeg of ik misschien bij hen wilde komen wonen, maar hij had me nog nooit eerder uitgenodigd. We zagen elkaar alleen maar in de stad, of we reden ergens naartoe. Een keer waren we bij de Burger King geweest. Hij zou me terugbrengen naar het opvangcentrum. Maar toen we bij de auto kwamen, stond een parkeerwachter een bon uit te schrijven. Mijn vader werd woedend en begon hem uit te schelden, ging als een gek tekeer. Gelukkig kon ik hem net op tijd kalmeren. Daarna stond ik te trillen als een rietje. Dat gebeurde altijd in dit soort situaties.'

Hij gaat iets bij me vandaan staan, en ik voel dat er meer lucht tussen ons komt, er ontstaat een gat tussen ons. Ik wil dat hij dichterbij komt, tegen me aan, maar hij heeft me losgelaten, dat moet ik respecteren.

'Ik heb hem een brief geschreven,' zegt hij, en ik voel een steek in mijn buik: de brief, dat is het opstel, nu komt het.

'Ik zei dat ik hem kon helpen, dat we er samen wel uit zouden komen, dat ik wist hoe hij zich voelde. Ik had lang geen woedeaanvallen gehad en hield me gedeisd toen Robert bij ons in het opvangcentrum kwam wonen en er telkens op aandrong dingen met hem en Chris te doen. Hij heeft mijn brief nooit beantwoord, en dom als ik was, nam ik de bus naar zijn huis. Toen hij de deur opende en mij daar zag, gebeurde er iets, hij kreeg een heel duistere blik in zijn ogen. Ik kon niet lang blijven, zei hij, want zijn vrouw en kind zouden zo thuiskomen. Hij zei niets over de brief, maar hij was prikkelbaar, hij keek me niet aan. Zo was hij altijd voor een woedeaanval. Dus ik stond op en zei dat ik moest gaan, maar toen gaf hij me de brief. Ik dacht dat hij zou ontploffen, maar hij werd helemaal *shaky*, stond op het punt in tranen uit te barsten. Als hij echt zo was als mijn moeder me had ingeprent, zei hij, begreep hij best waarom ik nooit contact met hem had gezocht, nooit op zijn verjaardag had gebeld en geen kaartje met de kerst had gestuurd. Zo was hij niet, híj had mijn moeder nooit geslagen. Maar ik wist heel goed wat hij mijn moeder had aangedaan, en ik had hem die keer met de parkeerwachter gezien. Hij zei dat als ík een probleem had, dan was dat mijn zaak, daar zou hij zich niet mee bemoeien, maar ik moest echt niet hém de les komen lezen. Stel je voor als zijn vriendin de brief had gelezen, wat zou zij dan van hem denken?'

Joar wordt stil. Hij ademt zwaar, het klinkt alsof elke ademhaling hem moeite kost.

'Maar hoe kreeg Robert de brief te pakken?' vraag ik.

'Hij was op zoek naar iets, wiet of zo, en toen vond hij de brief in mijn jaszak. Er stond van alles in, over mijn vader, hoe hij was, dat ik hem wilde helpen, dat we het samen zouden oplossen en bla bla bla. Ik werd razend, probeerde hem af te pakken, maar hij las de brief hardop voor. Dus ik ging naar zijn kamer en pakte het mes, ik wist waar hij het had verstopt. Ik wilde er alleen mee dreigen, om de brief terug te krijgen. Maar hij lachte alleen heel stom, hij lachte me recht in mijn gezicht uit.'

Ik loop naar hem toe, volg het geluid van zijn stem. Hij zit op een grafsteen, ik ga erbij staan. Als hij dat wil, ben ik er voor hem.

'Ik dacht dat hij dood was. Ik dacht dat alles voorbij was, ik was ervan overtuigd dat ze me zouden vinden, Chris en zijn vrienden of de politie, en ik wist niet wat erger was… Jawel, ik wist wel wat het ergste was: wat ik had gedaan, dat ik hem misschien had vermoord.'

Ik ga tegen hem aan staan, hij trekt zich niet terug, hij leunt naar me toe.

'En toen begon jij met me te praten,' zegt hij met een wat lichtere stem. 'Door de muur… en dat was… opeens leuk. Toen je zei dat je Julie heette… Het kon geen toeval zijn, dacht ik, dat je dezelfde naam had als mijn moeder. Dus kwam ik terug, ook al wist ik dat dat niet zo slim was.'

'Het was wél slim,' zeg ik. 'Ik ben in ieder geval blij dat je terugkwam.'

'Toen ik erachter was dat hij niet dood was, dacht ik: oké, ik ga het proberen. Het is nog niet helemaal voorbij, zolang ik met Julie ben, ben ik wie ik wil zijn.'

Ik zoek zijn haren, haal mijn vingers erdoor.

'En als ik bij jou ben,' zeg ik, 'ben ik wie ik wil zijn.'

Hij leunt tegen me aan, er ontsnapt een goedkeurend *mmm* uit zijn mond. Ik wrijf hem door zijn haren, haal de klitten eruit, alsof mijn vingers een borstel zijn. Zijn haar is zo dik en zacht.

'Ik had de hele tijd in mijn hoofd dat je me zou gaan haten als je het te weten kwam,' zegt hij. Zijn stem klinkt nu weer wat donkerder. Opeens staat hij op, mijn hand glijdt door zijn haren, hij gaat weg.

'En wat ik ook doe, hoe goed ik ook mijn best doe, het heeft toch geen zin: Robert ligt in coma.'

'Hij kan wakker worden.'

'Je ligt niet een week in coma en wordt dan opeens wakker. Elke dag die voorbij gaat, gaat hij meer dood. We're all going to hell.'

'Hij kán wakker worden.'

'Als hij nou doodgaat?'

Die gedachte is onverdraagbaar.

Maar Joar heeft me goed behandeld, de hele tijd na het gebeuren met Robert. We hebben samen gelachen. Op een brug gebalanceerd. Gedronken, gezoend. Ik vond het leuk, vond hem leuk. Maar ik heb hem ook van de andere kant meegemaakt, zijn vuisten, zijn emoties. De kleine rukjes, zijn harde nagels.

'Op dit moment wil ik gewoon graag bij je zijn,' zeg ik. 'Je hand vasthouden, naar je stem luisteren, weten dat jou niets is overkomen.'

Hij zwijgt heel lang. Ademt rustig in en uit.

Dan komt hij naar me toe, strijkt zijn hand door mijn haren, rustig.

'Je bent me gevolgd,' zegt hij, zijn stem is licht, opgewekt.

'Ja, en nu denk ik dat we moeten gaan, voor als…'

'Hm hm…'

Ik hoor hem de cd-speler pakken, zijn schoenen ritselen op het gras. Hij komt naar me toe, onze vingers vlechten in elkaar.

'We moeten die tattoo nog laten zetten,' zegt hij enthousiast, hij klinkt weer vrolijk en sprankelend.

Hij leidt me langs de graven. Naar het grind, ik voel weer harde grond onder mijn voeten, voel me uitgeput en moe. Wil even bij hem zijn, misschien een beetje slapen, bij hem liggen.

'Zie je Silje ergens?' vraag ik.

We botsen tegen elkaar aan. Hij knijpt me hard in mijn hand.

'Julie,' zegt hij, er is iets met zijn stem, iets wat hij onderdrukt, iets wat hij probeert te verbergen. Maar hij is rustig, hij heeft het in de hand. 'Daar zijn ze. Hun auto staat op de parkeerplaats.'

Ik sta stil, wil me omdraaien en probeer hem mee te trekken. Maar hij stribbelt tegen.

'Nee,' fluistert hij. 'Dan moet het er nu maar van komen.'

Op de grond

Ik knijp hem in zijn hand om te proberen hem tegen te houden, maar hij rukt zich los.

'Wacht hier,' zegt hij. 'Ik zie je later!'

Hoezo later? Wat bedoelt hij?

Hij loopt weg, zijn schoenen kraken ritmisch op het pad. Ik hol achter hem aan met de stok voor me om niet ergens tegenaan te botsen.

'Je weet hoe ze zijn!' roep ik.

Hij antwoordt niet, maar voert zijn tempo op en stapt behoorlijk door.

Er gaat een autodeur open in de verte, het grind kraakt.

'Je kunt nog wegrennen,' zeg ik. 'Ze kunnen je niet bijhouden!'

Maar Joar loopt hard door, hij loopt nu op het grind, het kraakt. De voetstappen van de anderen komen dichterbij. Ze zijn minimaal met z'n tweeën, maar ik denk met drie.

Ik loop nu ook op het grind, rustig zodat ik kan horen wat er gebeurt.

'Je krijgt de groeten van mijn broer!' roept Chris Hansen.

Joar blijft staan.

'Is hij al wakker?'

Snelle voetstappen op het grind, korte bewegingen. Een klets, een klap, Joar kreunt.

'Klootzak!' brult Chris, en er volgt nog een klap. Joar kreunt. Hij hoest moeizaam, spuugt.

'Blijf je daar staan?' sist Chris.

Joar ademt zwaar, alsof er iemand op hem zit.

Nog een klap of schop, ik weet het niet, het grind kraakt ontzettend, ik denk dat hij is gevallen, dat hij kruipt.

'Joar?' vraag ik.

Hij mompelt iets, het gaat wel, zoiets, ik kan de woorden nauwelijks van elkaar onderscheiden.

Chris snuift.

'Zal ik het mes maar pakken en je meteen afmaken? Hè?'

'Als…'

Joar heeft de kracht niet om iets te zeggen, hij kermt van de pijn.

'Nou?'

De stem van Joar klinkt dik, alsof hij iets in zijn mond heeft.

'Als je dezelfde blunder wilt begaan als ik…'

Een plof, een klap, Chris kreunt.

'Verdedig je dan! Klootzak!'

Joar probeert iets te zeggen, maar er komt niets uit. Hij spuugt.

'Nee,' zegt hij, verrassend duidelijk.

Opnieuw een klap, en ik voel het in mijn hoofd dreunen, als een echo van de kreun van Joar. Nu is het genoeg. Het moet ophouden. Ik loop ernaartoe, stamp hard zodat Chris hoort dat ik eraan kom. Met mijn arm raak ik iets hards wat rinkelt, het stuur van Siljes fiets. Ik loop eromheen, richt me op de ademhaling van Chris, hij is buiten adem van woede.

Mijn stok raakt iets, Chris, ik trek hem naar me toe.

'Hou op!' roep ik.

'Wegwezen!' snauwt Chris.

Ik houd de stok goed vast, wil hem net opheffen.

'Johnny!' zegt hij opeens heel enthousiast. 'Erik! Hou haar eens vast!'

Ik doe een paar passen naar achteren. Als ik merk dat ik zou kunnen struikelen, draai ik me om en zet het op een lopen. Ik wil niet vallen. Chris komt achter me aan, ik hoor het, voel het. Achter me stampen er meer voeten op het grind, de anderen. Ik ga harder lopen.

'Hé, er staat een meisje op het kerkhof…'

Het is dezelfde stem als daarnet bij ons thuis, die dikke met de hijgende stem. Een paar voetstappen die minder snel achter elkaar komen. Ik zwaai met de stok voor me uit, ik mag nu echt niet vallen.

'Kom terug!' roept Chris.

Ik krijg weer vaste grond onder mijn voeten en loop een greppel in. Opeens grijpt een hand me bij mijn schouder, ik word teruggetrokken, verlies mijn evenwicht, struikel. Een bekende geur van leer, het is Chris. Ik vind mijn balans terug, maar hij trekt weer aan me, ik voel me net een lappenpop. Ik probeer me los te wringen, maar hij trekt nog harder en sleept me achter zich aan, naar het grind.

'Jezus, Chris, ze is blind hoor...'

Het is Johnny, die dikke, hij is vlakbij nu, hij staat bijna stil.

'En nu?' Chris lacht. 'Joar zal haar komen redden, want ze is zijn vriendinnetje.'

'Raak haar niet aan!' roept Joar. 'Zij heeft er niets mee te maken!'

Chris rukt aan me, trekt me hard naar zich toe, hij stinkt naar zuur zweet.

'Hou me tegen dan!' zegt hij. 'Laat maar zien dat je van haar houdt.'

Ik sla. Beuk met de stok, een keer, twee keer. Hij kreunt geïrriteerd, niet van de pijn.

Ik geef hem een knietje. Raak, maar niet in zijn ballen, hij snuift alleen wat. Ik mep hard met mijn stok, maar raak niets, en hij pakt me bij mijn pols en knijpt, zijn nagels snijden door mijn huid.

De anderen zijn eromheen komen staan voel ik, ze komen dichterbij. Ik probeer mijn hand los te trekken, maar hij heeft me zo goed vast, er is geen beweging in te krijgen. Ik probeer met mijn andere hand zijn vingers eraf te trekken, maar hij laat mijn schouder los, ik voel zijn hand over die van mij en trek de mijne vlug naar me toe, die krijgt hij niet!

Ik zet me schrap en gooi alles in de strijd: geef hem nog een knietje. Hij gilt het uit, het was raak! Hij verslapt zijn greep om mijn pols en ik wring me los, sla hem met mijn stok. Maar opeens voel ik iets bij mijn schouder, hij pakt me beet, en van achteren pakt die dikzak me vast. Hij sluit zijn armen om mijn lichaam, tilt me op en trekt me weg. Ik zwaai wild met de stok om me heen, maar dan raakt mijn arm iets hards, een hand die me vastpakt, en de stok wordt uit mijn hand gerukt, ik probeer hem te pakken, maar vergeefs. Hij valt op de grond achter me.

'De politie komt zo!'

Het is Silje. Ze schreeuwt, vanaf het kerkhof.

'Ze komen zo. Ik heb gebeld!'

Chris snuift. 'Mijn reet!'

Johnny tilt me op en laat me weer op het grind zakken. Ik struikel en val bijna, maar hij trekt me omhoog, heeft me vast om mijn middel, drukt hard.

'Leg haar op de grond!' brult Chris.

Ik schop naar achteren en sla wild om me heen, omhoog, omlaag, achter me, ik geef me niet zomaar gewonnen!

Johnny probeert me eronder te krijgen, maar ik werk hem tegen, schop, beweeg wild, beuk. Opeens haalt hij me onderuit, ik val om, Johnny ook, mijn knieën kraken op het grind en er valt een zwaargewicht op me, alle lucht wordt uit me geperst, ik word het grind in geduwd.

Silje huilt bijna. 'De politie komt eraan, ze zijn onderweg…'

Johnny laat me los en komt overeind. Ik schop naar achteren, raak iets hards, zijn scheenbeen of zo. Als ik wegkruip, voel ik dat ik word beetgepakt bij mijn schouder, en bij mijn rug, meer handen die me vastpakken, mijn voeten, mijn armen, ze houden me vast, duwen me omlaag. Ze rollen me om, op mijn rug, de steentjes drukken tegen mijn schouders, ze duwen mijn armen opzij, drukken mijn handen in het grind. Nee! Ik schop, er gaat iemand op mijn benen zitten die me vastklemt tussen zijn bovenbenen. Ik probeer mijn handen los te krijgen, maar die zitten muurvast. Iemand pakt me bij mijn kin en ik voel het aan zijn greep: het is Chris. Hij duwt mijn gezicht naar zich toe, zijn leren jas kraakt en een dikke bierlucht dringt mijn neus binnen. Hij perst zijn lippen op me, wrijft hard, probeert zijn tong naar binnen te krijgen. Maar ik houd mijn lippen stijf op elkaar en schud wild met mijn hoofd, no way!

'Hou op!' brult Joar. Hij is vlakbij, hij komt eraan, hij zal ze krijgen!

Chris drukt zijn mond nog harder op mijn lippen, duwt echt hard, maar ineens stopt hij. Het wordt weer open om me heen, hij is gaan staan. Ik zuig de lucht in me op, spuug die vieze smaak uit, probeer me los te wringen, maar ze houden mijn handen nog steeds vast. Ik hoor het gekraak van voetstappen, mensen die moeilijk ademen, maar het het ergste van alles: mijn eigen trillende adem. Waar is Joar?

Zacht gekraak op het grind, voetstappen, iemand die behoedzaam loopt. Het moet Chris zijn die naar Joar toe loopt, en Joar die wegloopt. Chris zoekt iets in zijn jaszak, en opeens hoor ik een metaalachtige, snelle klik.

Het mes, Chris heeft het mes gepakt.

'Verdomme, Chris!' zegt Joar, hij staat er nu een stuk vandaan.

'Verdomme, Chris!' praat Chris hem na. 'Hij ligt in coma, Joar! Hij is verdomme een kasplantje geworden!'

Snelle, korte passen, Chris rent op hem af. Rennen, Joar, alsjeblieft, ren voor je leven!

'Chris,' zegt Erik Eikel bij mijn ene arm, en er beweegt iets boven mijn benen, de druk op mijn benen neemt wat af. 'Chris!' zegt hij luider. 'Volgens mij hoor ik een sirene…'

Ik probeer mijn benen los te wurmen, maar Erik drukt weer met zijn volle gewicht tegen me aan, duwt mijn bovenbenen naar elkaar toe.

'Ik hoor helemaal geen sirene,' spuwt Chris.

'Sst!' zegt Johnny. 'Luister!'

Ik verzet me niet meer, luister. Hoor dat de anderen ook stil zijn, alleen de adem van Joar is onregelmatig, en Johnny's zware gehijg bij mijn arm. Maar ik zou het hebben gehoord, en ik hoor niets, het is doodstil.

'Ik hoor hem,' zeg ik, maar mijn stem laat het afweten, klinkt niet echt, ik moet overtuigender zijn. 'Ze komen eraan.'

'Ik hoor helemaal niks!' zegt Chris.

'Ik weet het niet zeker,' zegt Johnny.

Hij laat mijn arm los, ik trek hem terug en houd mijn hand voor mijn gezicht, voor het geval dat. Maar Johnny gaat staan, kreunend. Zijn zware stappen kraken op het grind, hij gaat weg. Mijn andere arm wordt ook losgelaten en de druk op mijn benen verdwijnt, Erik gaat staan. Ik haal uit, raak iets, hij kreunt en ik word bang: hij kan gaan zitten, hij kan me weer pakken.

Maar ik voel nu lucht om me heen, ze gaan weg, ik ben vrij.

Ik rol me om op mijn buik, zoek de stok, maar vind alleen maar steentjes. Ik duw mezelf omhoog en ga staan. Luister of ik Joar hoor. Maar ik hoor alleen de woedende ademhaling van Chris, die buiten adem is.

Er gaat een autodeur open. De motor start.

'Kom je?' roept Johnny.

'Bullshit,' zegt Chris. 'Die kutkinderen proberen ons er gewoon in te luizen!'

Snelle voetstappen van Chris, zijn jas kraakt, maar ik hoor verder geen voetstappen, staat Joar daar nu alleen?

Ineens houden de voetstappen op.

Het is helemaal stil.

Er schreeuwt een meeuw ergens in de verte.

'We gaan nu!' roept Johnny.

'Ga maar!' mompelt Chris. 'Laffe… fuck!'

De motor brult, sist.

Ik roep:

'Rennen, Joar! Zorg dat hij je niet te pakken krijgt!'

Krakende voetstappen, de hijgende snelle adem van Chris, hij staat nu dicht bij Joar, heel dichtbij.

Joar rilt, hij heeft bijna geen stem meer.

'Bega niet dezelfde blunder als ik…'

'Hoor je me niet?' snikt Silje met verstikte stem, ze staat nu vlak achter me. 'Ze komen eraan!'

En in de verte, half verstomd door het geraas van de auto hoor ik het ook: een harde, opdringerige sirene.

De sirene wordt steeds luider, hij komt dichterbij.

Ik hoor het grind weer kraken, snelle voetstappen, zou dat Chris zijn? Gaat hij weg?

Een autodeur die dicht slaat. De auto die over het grind rijdt, hij geeft gas en rijdt weg. Ik ruik een walm van vieze uitlaatgassen.

De sirene komt snel dichterbij.

Ik draai me om naar Silje.

'Is hij weg?'

'Ja.'

Ik durf het niet te geloven. Ik voel de spanning nog tussen mijn schouders, de angst zit er nog.

'Joar?' zeg ik. Hij antwoordt niet, maar ik hoor zijn adem, bevend, zachtjes.

Ik loop eropaf, hoor dat hij op de grond zit.

'Nu moet je doen wat er op de lijst staat,' zeg ik. 'Ervandoor gaan.'

Hij zwijgt, ik hoor hem niet ademen, krijgt hij het nu weer benauwd?

Ik ga op mijn hurken zitten, zoek zijn arm. Ik sla mijn arm om zijn schouder. Hij rilt een beetje, één klein snikje is alles wat er nog uit komt. Ik houd hem vast. Het is alsof hij in me wegzakt.

De sirene loeit keihard, de auto remt, rijdt het grind op. Ineens stopt de sirene.

De agenten komen snel onze kant op.

Joar fluistert iets, maar ik hoor het niet. Pas als ik met mijn oor voor zijn mond ga zitten.

'Als hij nou doodgaat?' fluistert hij.

Ik weet niet wat ik moet zeggen. *Hij haalt het misschien, het kan goed komen.* Maar misschien ook niet.

'Gaat het?' roept een rustige mannenstem met gezag.

Niemand zegt wat, de voetstappen komen dichterbij.

'We hebben een oproep gekregen dat er een vechtpartij zou zijn,' zegt de vrouw.

'Ik heb gebeld,' zegt Silje. 'Maar ze zijn er nu vandoor.'

Joar maakt zich los uit mijn omhelzing, hij staat op.

'Jullie zijn naar mij op zoek,' zegt hij. 'Je mag me meenemen.'

The end

We zitten tegen elkaar aan op de achterbank van de politieauto. Ik, Joar, en aan de andere kant van hem de agent. Mijn knie rust tegen die van Joar. Als we over een hobbeltje rijden, rinkelen de handboeien. Ik wil net mijn hand op zijn knie leggen, maar dan denk ik aan wat hij over zijn vader vertelde, in de kerk. Ik zoek zijn hand, raak het koude metaal van de boeien, voel met mijn vingers. Hij spreidt zijn vingers zodat ik ertussen kan.

Silje zit voorin en wisselt zo nu en dan wat woorden uit met de agente, die achter het stuur zit. De politieradio staat aan en meldt iets over een inbraak in het centrum. Mijn arm ligt erg ongelukkig, maar ik wil hem vasthouden, wil niet loslaten, niet nu.

De auto remt, we vallen voorover en weer terug. De motor wordt afgezet, we zijn er.

'Nu zijn we er,' zegt de agent. De deur klikt open, ik voel Joar naar me toe leunen als de agent uitstapt. 'Tijd om afscheid te nemen,' zegt hij.

'Doei,' zegt Silje voorin.

Ik geef hem een hand, leun naar hem toe, naar zijn oor.

'We hebben nog wat op de lijst staan,' fluister ik.

Hij draait zijn gezicht naar me toe, zijn mond raakt mijn oor, de piercing voelt koud aan.

'Ik denk dat mijn lijst er nu iets anders uit komt te zien.'

Hij zegt het met een glimlach, ik hoor het aan zijn stem. Het maakt me blij dat hij grapjes kan maken. En toch doet het pijn. Ik weet wat hij eigenlijk bedoelt. Vanaf nu hebben we allebei een eigen lijst.

Ik probeer met mijn neus de zijne te raken, wrijf ertegen.

'Wat er ook gebeurt,' zeg ik. 'Je was voor mij echt super.'

Hij blaast zijn warme adem naar me toe.

'Misschien overleeft hij het wel,' zegt hij met een lichte stem.
'Ja,' zeg ik.
Dan kus ik hem.

Maar ik ben nog niet klaar met de lijst.
Ik moet nog binnen zien te komen. De politieauto rijdt rustig weg.
Ik check hoe laat het is. Het is vroeg, heel vroeg. Als ik naar binnen ga,
zou Hans Gjermund me kunnen betrappen. Dan zit ik aan hem vastge-
kluisterd tot mijn ouders terugkomen.
Ik haal mijn mobiel tevoorschijn, stel het volume zachter in en loop de
ontvangen oproepen na tot ik een onbekend nummer vind. De datum
klopt.
Ik heb nog een paar uur tot mijn ouders terugkomen.
Ik ril helemaal, met heel mijn lichaam.
Ik druk op bellen.

In de taxi gaat mijn mobiel in mijn zak en mompelt: 'Nieuw bericht.' Ik
haal hem tevoorschijn, het is van Silje.
'Kijk op teletekst!' schrijft ze. 'Hij is wakker geworden, hij leeft! Lfs.'
Er gaat een licht gedempte vreugde door me heen.
Als ze het maar niet over Jezus heeft.
Ik glimlach.
Ronald kon niet garanderen dat hij het af zou krijgen voordat mijn ou-
ders terugkwamen. Maar ze zullen sowieso vreselijk tekeergaan. Zeker
mijn moeder, ze heeft een bloedhekel aan tattoos.
Maar ik ben Julie. Queen of the World. Ik doe waar ik zin in heb, al moet
dat soms in mijn eentje.

Bedankt voor jullie hulp:

Kristin, Eli, Mirnesa, Daksha, Marius, Magnus, Lotte, Henning, Markus, Kristoffer, Ørjan, Eirik, Silje, Solveig-Marie, Eva, Silje, Ero, Mari, Iselin en Ingrid.

Het boek waar Joar uit voorleest is geschreven door Nigel Cawthorne en heet *Secrets of Love, The Erotic Arts Through the Ages.*
In het Noors: *Kjærlighetens hemmeligheter: erotikk i kunst og litteratur,* Grøndahl og Dreyer 1998, vertaald door Torunn Borge en Henning Hagerup.